DARGAUD S.A.
EDITEUR
12 Rue Blaise Pascal
92 - Neuilly s/Seine

**DIRECTEUR DE LA COLLECTION
"LES GRANDS DE TOUS LES TEMPS"**
E. Orlandi

CONSEILLER HISTORIQUE
H. Gossot
Inspecteur pédagogique
de l'Education Nationale

DIRECTEUR LITTÉRAIRE
J.M. Charlier

TEXTE DE
M. Lepore

Adapté par:
J.M. Charlier

Dans les deux pages précédentes
et dans les deux dernières:
Rembrandt: "Ecce Homo"
et "Mort de la Vierge"
gravures du Rijksmuseum d'Amsterdam.

En couverture:
fragment du tableau
"Saskia et Rembrandt"
Dresde, Gemäldegalerie
Photo Giraudon

Ci-contre:
Auto-portrait de Rembrandt
Paris. Musée du Louvre

Dépôt légal:
1er Trimestre 1968
Editeur n° 302

LES GRANDS **Gtt** DE TOUS LES TEMPS

REMBRANDT

DARGAUD S.A. EDITEUR

Le portrait occupe une grande place dans l'oeuvre de Rembrandt. Le peintre était particulièrement doué pour ce genre et l'engouement de la société hollandaise, pour les portraits, ne pouvait que favoriser l'épanouissement de ce don. Outre les nombreux portraits qu'on lui commanda, il reproduisit très souvent les traits de ceux de ses familiers qui se pliaient, de bonne grâce, au goût singulier qu'il avait pour les "travestis" somptueux et les accoutrements bizarres. Ci-dessous, à gauche, portrait de sa mère, coiffée d'un turban oriental (1631). A droite: portrait présumé de son père, revêtu d'un manteau brodé. Cette oeuvre est de la même année. En bas: portrait de sa soeur Lijsbeth (aujourd'hui à Vienne).

LE FILS DU MEUNIER DE LEYDE

On peut encore voir à Leyde une petite rue, la Wedesteeg, qui donne sur le Galgewater, l'un des bras du Rhin. En 1600, il y avait un moulin, en face de cette ruelle : le moulin van Rijn, ainsi baptisé du nom hollandais du Rhin. Son propriétaire s'appelait Harmen Gerritszoon. Sa femme, Neeltje Willemsdochter van Zuytbrouck lui donna sept enfants : cinq garçons et deux filles. Quand, le 15 juin 1606, naquit un cinquième enfant, ses parents qui, pour leurs autres rejetons, s'étaient contentés de prénoms alors en vogue : Gerrit, Adriaen, Wilhelm, Cornélis, Machteld, Lijsbeth, choisirent pour lui un prénom insolite : Rembrandt. A la naissance du petit Rembrandt, le meunier avait acquis une certaine aisance, et en donnant à son dernier fils, ce prénom peu courant, peut-être espérait-il inconsciemment lui voir embrasser, plus tard, une activité qui donnerait plus d'éclat à sa famille. Et de fait, alors que Gerrit devint meunier, comme son père, Adriaen, cordonnier et bottier, Wilhelm, boulanger comme son grand-père maternel et Cornélis, artisan, Rembrandt lui, fut envoyé à l'école. Le 20 mai 1620, à quatorze ans, on l'inscrivit à l'Université de Leyde qui, bien que de fondation récente, jouissait déjà d'une grande réputation. Son père rêvait probablement de le voir devenir pasteur ou notaire. Mais le jeune garçon n'était guère porté vers l'étude. Et plus tard, en effet, quand Rembrandt fit faillite et que l'on procéda à l'inventaire de ses biens, on put constater que, s'il avait acquis une riche collection d'oeuvres d'art, il ne possédait par contre, que très peu de livres. Mais, il avait conservé l'Ancien et le Nouveau Testaments que sa mère avait l'habitude de lire, et qui restèrent pour lui, une source essentielle d'inspiration. Neeltje, en effet, avait appris à son fils, à aimer la Bible. Elle lui transmit une foi solide et un sentiment religieux que rien jamais n'ébranla. Rembrandt fut profondément influencé par sa mère. Dans un tableau qui se trouve à Vienne, il la peindra, en train de lire, sous les traits de la prophétesse Anne. L'adolescent grandit dans une ambiance familiale, tendre et chaleureuse, sous l'autorité patriarcale et bienveillante de son père; et ceci explique que, malgré son tempérament fantaisiste, Rembrandt soit demeuré un homme simple et casanier. Sa vocation se manifesta très tôt et son père eut la sagesse de ne pas s'opposer à son choix.

A gauche: portrait de sa mère, en costume de riche bourgeoise, exécuté en 1639 (Vienne, Kunsthistorisches Museum). Ci-dessous: portrait présumé de son frère Adriaen (actuellement au Louvre). En bas: un portrait présumé de son père, exécuté entre 1629 et 1630, et baptisé Le Vieux guerrier à la collerette de fer (Musée de l'Ermitage à Léningrad).

Ci-dessus: La reddition de Breda par Velasquez. La composition originale, la richesse et la beauté de cette toile en font un chef-d'oeuvre. Spinola, banquier génois, devenu chef de guerre au service de l'Espagne, s'empara d'Herzogenbosch (Bois-le-Duc), Maastricht et Breda après de longs mois de siège. Mais, il fut rappelé en Italie et ses victoires furent sans lendemain.

Page ci-contre, en haut: Philippe IV, en habit de chasse (portrait de Velasquez). Ce souverain d'Espagne eut un règne très difficile. C'est à lui qu'échut la tâche de liquider le lourd passif hollandais que lui avait transmis son père, Philippe III. En 1609 déjà, celui-ci avait signé avec les Provinces-Unies, une trève qui préfigurait leur indépendance définitive.

Ci-contre: en bas, à gauche: portrait de Frédéric Henri d'Orange-Nassau. A droite: son frère Maurizius, qui le précéda dans la charge de "Staathouder" (chef d'Etat et généralissime) et qui mourut brusquement en 1625, alors qu'il marchait contre Spinola, qui venait d'attaquer les villes-frontières des Provinces-Unies. Tous deux étaient les fils de Guillaume le Taciturne.

LA LONGUE REVOLTE DES PAYS-BAS

Le musée du Prado à Madrid possède l'un des chefs-d'oeuvre de Vélasquez: *La Reddition de Breda*. Cet épisode fut l'une des innombrables et cruelles péripéties du soulèvement des Pays-Bas. Ceux-ci groupaient approximativement la Belgique et la Hollande actuelles. En 1555, l'empereur Charles Quint avait transféré la souveraineté de ses Etats du Nord à son fils Philippe II. La population y était en majorité catholique, mais dans les provinces riveraines des bouches du Rhin, de la Meuse et de l'Escaut – en gros les provinces hollandaises – le calvinisme et les églises luthériennes s'étaient multipliés, gagnant surtout les familles des marchands et des financiers. La majeure partie de la noblesse terrienne et beaucoup d'artisans appartenaient également à la religion réformée mais il existait de nombreuses communautés catholiques, au sein même des provinces protestantes. Une co-existence pacifique entre les différents cultes eût pu se maintenir, si Philippe II n'avait troublé ce délicat équilibre, tant par ses levées exorbitantes d'impôts, que par les menaces croissantes que l'Inquisition faisait peser sur les Pays-Bas. Soutenue par le petit peuple, la noblesse finit par se révolter. Les luttes religieuses favorisèrent les aspirations à l'indépendance. Dès 1579, par l'Union d'Utrecht, les sept provinces (Hollande, Zeelande, Utrecht, Frise, Groningue, Over-Yssel et Gueldre) s'étaient confédérées, mais l'Espagne restait leur redoutable suzeraine. Une guerre sanglante s'engagea, de 1555 à 1648, avec des alternatives de lutte armée et de tractations diplomatiques. Grâce à leurs marchands et à leur compétence en construction navale, grâce au courage et à l'expérience de leurs marins, les Provinces-Unies représentaient une puissance considérable. Le 22 octobre 1639, dans le Pas-de-Calais, l'amiral Tromp vainquit une formidable Armada espagnole, dans la bataille dite "des Dunes". Quatre ans plus tard, les Espagnols étaient battus par les Français, à Rocroi. Contraints de céder, ils signèrent à Münster, en janvier 1648, le traité de Westphalie par lequel, ils reconnaissaient définitivement l'indépendance des Provinces-Unies, accrues de la Drenthe et des Provinces du Sud. "La Guerre de Quatre-Vingts ans", s'achevait par la victoire des Hollandais. La vie de Rembrandt (1606-1669) couvrit à peu près cette période.

Ci-dessus: le navire "Amélia", à bord duquel se trouvait l'amiral Maarten Harpertszoon Tromp, à la bataille des Dunes. Ce combat décisif donna son indépendance, à la Hollande. Tromp coula et mit hors de combat soixante-huit des soixante-quinze vaisseaux espagnols qu'il avait attaqués en mer du Nord (détail d'un tableau du Greenwich National Maritime Museum).

Ci-dessous: de Pierre-Paul Rubens (1577-1640): Portrait de Suzanne Fourment, l'un des plus beaux de l'artiste. Ce tableau se trouve actuellement au Louvre. En bas, à gauche: Jan Steen (1626-1675): détail de La malade *(Rijksmuseum, d'Amsterdam). A droite:* La lettre *de Vermeer (1632-1675) (Rijksmuseum) Page ci-contre: Frans Hals (1581-1666):* Le joyeux buveur *(Amsterdam, Rijksmuseum). Ce célèbre peintre flamand fut, sans doute, le meilleur des portraitistes hollandais, après Rembrandt. Il fut le peintre du sourire et de la joie. Son coup de pinceau nerveux donne à ses oeuvres une facture très moderne. Il mourut à l'hospice, dans la misère, mais ses toiles font aujourd'hui la gloire du musée de Haarlem.*

Leur longue lutte contre l'Espagne n'affaiblit pas les Hollandais. Elle les poussa à s'unir et à développer leur commerce et leur puissance maritime. En 1609, trois ans après la naissance de Rembrandt, les Provinces-Unies signaient avec l'Espagne, la "Trêve espagnole" qui reconnaissait l'autonomie religieuse et économique de la Hollande. Cette trêve devait être rompue en 1621. Ces douze années de paix religieuse furent une période faste pour les Hollandais. Leur enrichissement et cette ambiance paisible ne pouvaient qu'être favorables à l'expansion des arts et de la culture. Et le dix-septième siècle sera, en effet, le siècle d'or de la peinture hollandaise. De Rubens, qui naquit en 1577, à Vermeer de Delft né en 1632, on vit dans le court laps de temps de cinquante ans, s'épanouir une prolifération de talents: Frans Hals, Seghers, Jacob Jordaens, Jan van Goyen, Antoon van Dyck, Salomon van Ruysdael, Aert, Jan Vermeer, Adriaen Brouwer, Rembrandt, van Ostade, David Teniers, Gerard Terboch, Jan Steen, Gérard Dou, Jacob van Ruysdael, Albert Cuyp et Pieter Hoogh. A ces maîtres de tout premier plan, il faut ajouter une légion d'excellents peintres mineurs. La production de tous ces artistes fut si abondante que, malgré le goût de la société hollandaise pour la peinture, de très nombreux peintres parmi les plus talentueux, durent travailler dur pour assurer leur existence. La noblesse et la bourgeoisie hollandaises cherchèrent à se refléter dans l'art comme dans un miroir. Riches marchands, notables, banquiers voulurent leur portrait et celui de leur femme ou de leurs enfants. Ils souhaitèrent aussi qu'on les immortalisât parmi leurs collègues des corps de métiers, ou parmi les membres des confréries urbaines auxquelles ils appartenaient. Ils raffolaient enfin des scènes dépeignant leur vie quotidienne. Réalistes, comme l'étaient ces bourgeois hollandais ils ne pouvaient qu'accueillir avec engouement, un genre nouveau qui arrivait d'Italie: le style vigoureux et contrasté du Caravage. Beaucoup de peintres hollandais tournèrent alors leurs regards vers Rome ou Florence et s'y rendirent. Ils en ramenèrent des techniques et des oeuvres, inspirées de ce style nouveau. En revanche, Rubens, Teniers et Van Dyck seront les ambassadeurs de l'art des Pays-Bas, en Italie et, de là, à travers l'Europe tout entière.

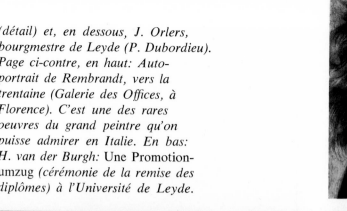

Ci-dessous: Tobie, Ste Anne et le chevreau. *C'est une peinture de jeunesse de Rembrandt (1626). Les tons clairs n'y possèdent pas encore la vigueur que l'artiste leur donnera plus tard. C'est une scène familière, bien campée et traitée de façon très réaliste (Collection privée, Paris). A droite: Portrait d'un jeune homme par Jan Lievens et Rembrandt* (détail) et, en dessous, J. Orlers, bourgmestre de Leyde (P. Dubordieu). Page ci-contre, en haut: Auto-portrait de Rembrandt, vers la trentaine (Galerie des Offices, à Florence). C'est une des rares oeuvres du grand peintre qu'on puisse admirer en Italie. En bas: H. van der Burgh: Une Promotion-umzug (cérémonie de la remise des diplômes) à l'Université de Leyde.

REMBRANDT ABANDONNE SES ETUDES

A l'époque de la naissance de Rembrandt, Leyde était une ville florissante, où s'était développée une importante industrie textile. En 1609, la ville comptait environ quatre-vingt mille habitants. A la mort du peintre (1669) elle en comptait cent mille, chiffres particulièrement élevés pour l'époque. On y avait fondé en 1575, une Académie ou Université, qui a conservé sa réputation jusqu'à nos jours. En moins de cinq lustres, cette université imposa sa renommée dans toute l'Europe: c'était non seulement un grand centre de culture, mais aussi de libre pensée. Elle comptait quatre cents étudiants, parmi lesquels nombre d'étrangers, dont furent les Français René Descartes, Théophile de Viau et Guez de Balzac. Le séjour de Rembrandt dans ce célèbre Athénée ne fut guère fructueux. Le jeune homme apprit peu et suivit les cours à contrecoeur. Mais il dessinait sur tous les bouts de papier, qui lui tombaient sous la main. Finalement, il avoua à son père qu'il voudrait être peintre. Et celui-ci, après s'être donné le temps de réfléchir, finit par y consentir. A cette époque, le métier de peintre était considéré comme un simple artisanat, et de ce fait, une vocation artistique soulevait moins de réticences paternelles que de nos jours. Rembrandt quitta donc l'Université, et entra comme apprenti chez le peintre Jacob Isaac van Swanenburch, qui avait longuement séjourné en Italie – surtout à Naples – et était rentré à Leyde en 1617. On ne sait presque rien de ce Swanenburch, et les peintures qu'il nous a laissées, témoignent d'un talent et d'un sens artistique médiocres. Mais il fut probablement un bon maître, puisque Rembrandt, qui resta trois ans chez lui, fit rapidement de très grands progrès. L'atelier de van Swanenburch était également fréquenté alors par Jan Lievens, âgé d'un an de plus que Rembrandt, et qui fut un peintre estimable. Ce jeune homme avait d'abord étudié son art à Amsterdam, chez Pieter Lastman (1583-1633), qui jouissait d'une réputation méritée, ainsi qu'en témoignent plusieurs de ses tableaux, conservés au Rijksmuseum d'Amsterdam. Rembrandt se lia d'amitié avec Lievens. Ils travaillèrent même ensemble. C'est sans doute Lievens qui exhorta Rembrandt à quitter Swanenburch pour aller travailler avec Lastman. Harmen accepta et son fils, alors âgé de dix-sept ans, partit pour Amsterdam.

11

LES MAITRES ITALIENS DE REMBRANDT

Rembrandt resta six mois dans l'atelier de Lastman, à Amsterdam. Nous le savons grâce à un reçu, rédigé par Lastman: "Quittance donnée à Harmen, fils de Gerrit, de Leyde, de la somme de deux florins cinquante pour avoir enseigné l'art de la peinture pendant six mois à Rembrandt, fils d'Harmen". Après ce stage, Rembrandt entra vraisemblablement en apprentissage chez Jacob Pijnas, mais ce fait n'est pas certain, et cette expérience dura, en tout cas, très peu de temps. Tout comme Swanenburch et Pijnas, Lastman avait séjourné en Italie. Il tenait des Carrache, un faible pour l'art classique, mais il avait su assimiler les leçons de réalisme du Caravage et ses étonnantes oppositions d'ombre et de lumière. Ce réalisme du grand peintre italien n'est pas une simple reproduction inerte du vrai, c'est l'expression intense, fouillée de ce qu'il y a de plus profondément humain. Et la lumière qui baigne ses toiles n'est pas une clarté quelconque, qui lutte contre les ténèbres. Elle donne un saisissant relief plastique aux formes. Cet art rencontrait parfaitement les aspirations du jeune Rembrandt, et c'est en ce sens qu'il s'inspira de l'italianisme, professé par Lastman. L'oeil acéré de ce fils de meunier hollandais, sorti du peuple, sut discerner d'emblée ce qui pouvait nourrir son propre talent, dans les acquisitions de son maître et malgré les insuffisances de celui-ci. La technique de Lastman ouvrait à Rembrandt le monde de l'art italien, avec son côté grandiose et fastueux, son goût pour le théâtral, le déclamatoire, sa dévotion exaspérée... Tout cela séduisit le jeune Hollandais. Ce contact avec Lastman eût sans doute, dévoyé un génie moins puissant et moins riche, que le sien. Il s'avéra, au contraire, fort enrichissant puisqu'il déchaîna l'imagination et forma le goût du jeune homme. Mais Rembrandt subit bien d'autres influences que celle de Lastman. Il fut ébloui par le spectacle, entièrement neuf pour lui, de cet Amsterdam, rutilant, à l'apogée de sa richesse, avec son port encombré de navires, ses entrepôts, bourrés de marchandises en provenance du monde entier, et les hommes de toutes races qui circulaient dans ses rues. Cette découverte de sensations et d'images hautement colorées, excita le goût naturel du peintre pour l'exotisme. Une épidémie de peste hâta le retour du jeune homme à Leyde, au début de 1624.

Un coin pittoresque d'Amsterdam que connut Rembrandt (d'après un tableau de Jan van der Heyden) (Mauritshuis). Les peintres de l'école hollandaise surent rendre avec une admirable vérité, les paysages venteux et plats de leur pays et l'intimité de sa vie domestique. Ils nous ont laissé le visage étonnamment vivant et pittoresque de leur temps.

Ci-dessus: un des plus beaux auto-portraits de Rembrandt jeune, exécuté en 1629. Par sa technique et l'étonnante puissance expressive du regard traité en ombre, ce tableau de petit format annonce le Rembrandt de la maturité. Il se trouve à la Pinacothèque de Monaco. En bas, à gauche: Le Christ et la femme de Chanaan de Pieter Pietersz Lastman. Les enseignements que Lastman avait reçus, à Rome des peintres italiens, sont mis en pratique dans ce tableau (Amsterdam Rijksmuseum). A droite: l'Adieu de Tobie à ses parents, attribué autrefois à Rembrandt, puis à son école, mais qui présente, de façon vigoureuse et incontestable, la marque personnelle du peintre (Léningrad, musée de l'Ermitage).

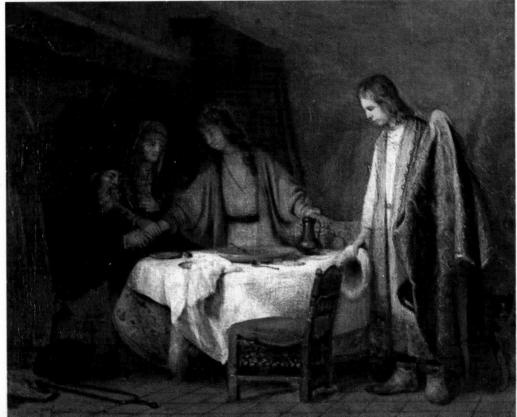

13

AU DEBUT, IL TRAVAILLE AVEC LIEVENS

A Leyde, Rembrandt retrouva Jan Lievens. Fils d'un teinturier, celui-ci appartenait à la même classe sociale et professait les mêmes idées que lui, sur la vie et sur l'art. Ils peignirent quelques tableaux en collaboration. La production d'oeuvres artistiques collectives était courante, à cette époque, aussi bien en Hollande qu'en Italie. Et l'on peut admirer au Rijksmuseum, un portrait d'homme jeune, qui porte la signature accolée des deux artistes. Rembrandt a visiblement retouché le travail de son ami. Cette double signature se retrouve également, au bas d'un portrait de vieillard, qui se trouve au musée de Schwerin. Certains critiques enfin ont proposé d'attribuer à Lievens certaines oeuvres de jeunesse de Rembrandt. Les deux amis travaillaient ferme. Mais dès 1627, le talent de Rembrandt avait dépassé celui de son ami, lorsqu'il peignit *l'Ane de Balaam* (aujourd'hui à Paris), le *Saint-Paul* de Stoccarda et *l'Avare* (aujourd'hui à Berlin). Malgré leurs défauts et une nette influence italienne, ces tableaux portent déjà la marque de la personnalité de l'artiste. Les caractères qui seront propres à Rembrandt et qui distingueront son style, notamment l'éclairage de ses toiles, s'y accusent déjà. Le "clair-obscur" se mêle dans ces tableaux, à une technique inspirée du Caravage, et particulièrement sensible dans le réalisme des personnages et des attitudes. Pourtant la palette du jeune Hollandais, qui se complaît dans les couleurs claires et froides, ressortit plutôt au goût italien de l'époque. Mais déjà, avec "l'Ane de Balaam", on devine le Rembrandt des grands tableaux bibliques.

SES PREMIERES OEUVRES CONNAISSENT UN SUCCES IMMEDIAT

A Leyde, les premières oeuvres de Rembrandt reçoivent un accueil flatteur. D'emblée, les amateurs de peinture le considérèrent comme un maître. Johannes Orlers, ex-bourgmestre de la ville, consacre près d'une page entière à Rembrandt, dans la seconde édition de son livre "Description de la ville de Leyde" (1641). C'est la plus ancienne biographie du peintre, et c'est sur elle que se fondent toutes les autres. Orlers conte la naissance, les études et le premier voyage à Amsterdam, du fils du meunier du Rhin et ajoute: "Après avoir séjourné à Amsterdam environ six mois, Rembrandt décida de peindre seul. Il eut la main si heureuse, qu'il devint l'un des peintres les plus célèbres de notre siècle. Comme son oeuvre plaisait beaucoup aux Amstellodamois, qui lui commandaient de nombreux portraits, il décida de quitter Leyde pour s'installer à Amsterdam. Il est donc parti d'ici, vers 1630, et s'est établi là-bas où il demeure encore, en cette année 1641".

L'artiste avait tout juste trente-cinq ans quand Orlers écrivit ces phrases. Après son installation à Amsterdam, il ne cessa pas pour autant de rester très apprécié à Leyde. Il est probable qu'il installa l'atelier où il travaillait avec Lievens, chez son père. Mais ayant besoin d'un local plus vaste, il ne tarda pas à déménager. Il jouissait déjà d'une excellente réputation. Ainsi dès 1628, il était si apprécié des connaisseurs que le jeune Gerrit Dou, natif de Leyde s'adressa à lui pour apprendre la peinture. Dans une note préparatoire à son ouvrage "Res pictoriae", écrit vers 1628, Arent Buchel mentionne que "le fils du meunier de Leyde est tenu en grande considération. Toutefois – ajoute-t-il prudemment – il semble que ce soit prématuré". Il ne partage donc pas l'enthousiasme qu'Orlers manifestera dix ans plus tard, mais Buchel constate tout de même que le talent du jeune Rembrandt est vivement apprécié. Cette réputation, il la doit à ses tableaux qui s'accordent aux goûts de sa clientèle calviniste, imprégnée, dès l'enfance, des récits des livres saints. Mais ses portraits commencent aussi à intéresser les connaisseurs éclairés. Et de fait, observe Munoz, Rembrandt exécute à cette époque, et comme pour s'exercer, les portraits de tous ses familiers. Souvent, aussi, il se prend lui-même pour modèle. Mais ce genre ne lui apporte pas encore de commandes.

Page précédente, en haut:
Vieillard dormant. Ce thème de la
vieillesse inspira souvent le
peintre, soit qu'il en appréciât
le pittoresque, soit parce qu'il
ressentait ce que la vieillesse
comporte de profondément humain.
Rembrandt était comme fasciné par
les traces du temps, sur un visage.
Dans ce tableau, conservé à la
Galerie Sabauda à Turin, on trouve
quelques réminiscences de l'art du
Caravage; mais le jeu entre
l'ombre et la lumière est déjà
celui de Rembrandt. En dessous;
deux auto-portraits du peintre, en
blanc et noir. Le premier date de
1628, le second de 1629; ils se
trouvent tous les deux, au
Rijksmuseum d'Amsterdam, et nous
donnent l'image de deux états d'âme
très différents de Rembrandt.
Ci-dessus: Portrait d'un peintre
dans son atelier (Boston, Musée des
Beaux Arts Zoe Oliver, collection
Sherman). Ce fut peut-être son
jeune élève, Gerrit Dou, qui posa
pour lui. L'originalité de la
composition est frappante: en
effet, la lumière vient d'en haut
laissant dans l'ombre, à gauche, le
personnage, et créant, du côté
opposé, un ensemble de plans
géométriques dont les limites sont
en pleine lumière et les masses
dans l'ombre, ce qui assure
l'équilibre de l'oeuvre. En
définitive, l'espace est l'élément
primordial du tableau, plus que le
personnage. Au-dessous: Auto-
portrait nu-tête; c'est également
une oeuvre de jeunesse.

17

Ci-dessus: Ermite lisant, *une
toile de jeunesse de Rembrandt
(Paris, Louvre). Le thème de la
vieillesse, si fréquent dans
l'oeuvre du peintre, est traité ici
d'une manière particulièrement
suggestive. En bas:* La Madone des
Pèlerins, *exécutée à Rome par le
Caravage, en 1633, pour l'église
Sant'Agostino. Lastman qui fut le
maître de Rembrandt, dut voir cette
toile. Au centre:* La Sainte
Famille *peinte par Rembrandt, en
1631 (Pinacothèque de Monaco).
Rembrandt a usé de préparations
claires et de glacis assez plats,
ce qui lui a permis d'obtenir une
gradation très nuancée des tons
chauds, allant de l'ombre à une
lumière modérée, qui convient
admirablement au sujet.*

SOUS LES TRAITS DE SES MODELES, REMBRANDT PEINT LEURS SENTIMENTS

Le Caravage possédait un sens dramatique intense, et le réalisme du maître italien va bien au-delà de la représentation scrupuleusement fidèle des objets, des décors et des personnages. Grâce à une technique très poussée du "clair-obscur" il donne – comme nul n'avait réussi à le faire avant lui – un relief saisissant aux formes, qu'il fait sortir des profondeurs de l'ombre et accuse, en projetant sur elles, tantôt l'éclat violent d'une lumière intense, tantôt les reflets dorés de celle-ci. Cette technique nouvelle rencontra davantage de succès à l'étranger, qu'en Italie même, et Rembrandt l'assimila parfaitement. Il lui apportera vite, une touche de plus en plus personnelle, à mesure que s'affirmera son génie. Cette technique lui permettra de traduire admirablement la profondeur de son sens religieux et la sensibilité passionnée qui le porte à pénétrer le caractère le plus secret de ses modèles. Nul mieux que lui ne peindra, par-delà la simple apparence physique, la roideur intérieure de certains de ses contemporains, la chaleur de l'atmosphère familiale, ou encore la fierté raide et naïve des riches notables hollandais.

Peint par lui, un visage rébarbatif voire répugnant, peut laisser transparaître ses secrètes beautés; un visage noble, irradier la bonté. Pourtant, et tout en louant la rapidité et la sûreté de son coup d'oeil qui lui permettaient de restituer les moindres nuances d'expression et les jeux de physionomie les plus fugaces de ses modèles, d'aucuns ont expliqué son réalisme, par une certaine incapacité à représenter la beauté, selon les règles d'un strict classicisme. Mais la beauté que peint Rembrandt, est toute intérieure et échappe aux normes. Le "clair-obscur" devient vite l'élément essentiel de ses moyens d'expression. Mais ce passage de l'ombre à la lumière, cette obscurité où s'allument des reflets, ne sont pas immobiles et figés, comme chez le Caravage, mais palpitants, et tout vibrants d'une subtile vie secrète. Quant aux interminables polémiques sur le fait de savoir si Rembrandt valorise davantage l'ombre ou la lumière, et si ses personnages émergent de l'obscurité ou s'y enfoncent, elles sont vaines. En présence de grandes toiles comme "Les pélerins d'Emmaüs" (au Louvre) ou "L'Homme au casque d'or" à Berlin) le regard dépasse très vite l'image, pour deviner les sentiments qui animent les personnages.

Le Rapt de Ganymède, exécuté en 1636, est traité sur un ton familier, celui dont userait un narrateur, rapportant un fait extraordinaire dont il met en doute la véracité. C'est un enfant typiquement hollandais qu'un aigle attrape par ses vêtements, du bec et de la patte, et enlève à travers les airs. Epouvanté, le jeune garçon crie et grimace de peur.

En haut, page ci-contre: trois portraits qui mettent en relief le don extraordinaire de pénétration psychologique de Rembrandt et sa passion pour le détail caractéristique et pittoresque: Tête de vieillard à la Croix d'or *et* Lieven Coppenol *(ces tableaux se trouvent au musée de Kassel).* A droite: Jeune homme au turban *(Collections royales, Windsor).*

REMBRANDT IGNORE DELIBEREMENT LE MONDE CLASSIQUE

S'il n'est pas niable qu'à travers l'enseignement de ses maîtres, Rembrandt assimila la technique du Caravage et la développa ensuite, de façon originale, il est certain qu'il posséda, en plus, des notions poussées de l'art italien des siècles précédents, voire de l'art antique. Il découvrit ces diverses écoles, dans les tableaux des artistes hollandais qui avaient séjourné dans la péninsule, ou encore dans les toiles des peintres italiens, importées en Hollande. Il collectionnait aussi les estampes et, à son époque, celles-ci reproduisaient volontiers des oeuvres d'art ancien ou contemporain. Mais, s'il ne put se soustraire que partiellement à l'empreinte du Caravage, il ne dut rien à d'autres influences extérieures. On retrouve certes, dans certaines de ses oeuvres, des réminiscences du Titien, de Raphaël ou d'autres grands maîtres de la Renaissance Italienne, mais ce ne sont là qu'analogies fugaces, dues au hasard, plus que de véritables résonances. Rembrandt possédait un style bien personnel, acquis peu à peu, à force d'observer la réalité. Il n'eut jamais la tentation d'aller en Italie. Sans doute, parce qu'il était fondamentalement anti-classique. Cet état d'esprit, les théoriciens de l'Art: van Baburen, Crabeth et quelques autres le lui reprocheront plus tard. A tort. Et quand Von Sandrart, écrit dans sa "Deutsche Academie" que Rembrandt réussit à atteindre une grande perfection artistique, bien qu'il n'eût jamais vu l'Italie, ce compliment condescendant ne l'empêche pas de juger le peintre, comme un homme inculte, absolument ignorant des théories contemporaines de l'art. Ce monde classique que le Caravage avait sous les yeux à Rome et auquel il tournait résolument le dos, Rembrandt, lui, ne voulut jamais le connaître. Quand, d'aventure, il abordera des thèmes "classiques", il les traitera d'une manière inattendue. C'est le cas du *"Rapt de Ganymède"* qui se trouve au Musée d'Etat de Dresde. D'autres fois, Rembrandt se laisse entraîner pas son goût du fantastique, et de l'exotisme, auquel ne furent pas étrangers le cosmopolitisme d'Amsterdam et ses nombreux contacts, avec les Juifs, peuplant le pittoresque quartier, qu'il habita longtemps. Le génie de Rembrandt se fonde à la fois sur un réalisme rigoureux, et sur une imagination, féconde, sans cesse excitée par un goût très vif pour tout ce qui est insolite, brillant et somptueux.

Ci-dessous: L'enlèvement de Proserpine. *On peut dater cette oeuvre de 1633. La composition, extrêmement animée, présente des affinités avec les toiles que peignit Rembrandt, au début de son séjour à Amsterdam. L'aspect du char, l'atmosphère du tableau, le drapé des vêtements n'ont rien de mythologique, au sens classique, et sont franchement orientalisants.*

IL COMMENCE UNE CARRIERE, A AMSTERDAM

Le père de Rembrandt mourut en 1630. L'année suivante, le peintre s'installait à Amsterdam. Libérée de la domination espagnole depuis 1578, la ville était en majorité calviniste, mais ses habitants ne manifestaient aucune intolérance religieuse et de nombreux exilés, persécutés chez eux, pour leur foi, s'y étaient réfugiés. Bâtie sur quatre-vingt-dix îlots, reliés par des centaines de ponts, la cité était, à cette époque, le port le plus important d'Europe. Elle comptait 130.000 habitants et, à la mort de Rembrandt, on en recensera 200.000. Seize mille bateaux faisaient des Pays-Bas, l'une des plus grandes puissances maritimes du temps. Quinze cents d'entre eux, équipés pour la pêche au hareng, étaient basés pour la plupart à Amsterdam. On disait d'ailleurs plaisamment que la ville était bâtie sur les carcasses des harengs, et la tribune du Président de la Chambre des Etats de Hollande prenait symboliquement appui sur une caque. Les bourgeois d'Amsterdam étaient plus discrets sur une autre source de leurs plantureux

profits : le commerce du "bois d'ébène" (c'est-à-dire, celui des esclaves noirs). Les Hollandais tiraient aussi des mines, de la métallurgie, des textiles, de la bière et du sucre, d'énormes richesses. A ces revenus, s'ajoutaient ceux du commerce outremer, pratiqué à grande échelle par les "rouliers des mers" de la Compagnie des Indes hollandaises. Amsterdam était l'un des points de concentration de cet afflux de richesse et sa banque était la plus puissante d'Europe. Dans toutes les classes sociales, cette prospérité prodigieuse avait provoqué une élévation spectaculaire du niveau de vie, malgré la guerre et les fluctuations de la politique. Tout en s'intéressant passionnément à l'art et à la culture, les classes fortunées gardaient pourtant – Descartes en témoigne – "la simplicité des anciens usages".

Dans cette ville qui le fascinait, Rembrandt trouva, sans peine, des amateurs susceptibles de payer grassement sa peinture. Il réclamait habituellement 500 florins pour un buste, mais son prix allait jusqu'à 1.000 florins pour certaines compositions d'inspiration biblique. Par ailleurs, chacun de ses élèves payait ses leçons, cent florins, par an, et la vente de ses gravures lui rapportait aussi beaucoup d'argent. Si bien que Rembrandt avait gagné de dix à douze mille florins, par an, soit 600 à 700.000 de nos francs, pendant les années qui précédèrent sa ruine.

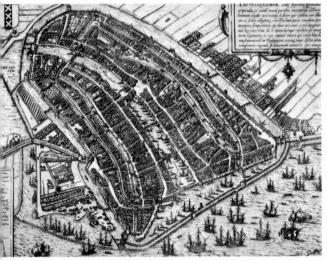

En page de gauche: Le vieil Hôtel de Ville d'Amsterdam, de Jansz Saenredam. Ci-dessus, en haut à gauche: un dessin de Rembrandt, de 1652, qui représente les ruines de l'édifice, après l'incendie qui le dévasta. Ce dessin se trouve dans la maison du peintre, aujourd'hui transformée en musée. Au-dessous: un plan d'Amsterdam aux environs de 1600; et en bas: le marché aux fleurs d'Amsterdam, d'après un tableau de Berkheyde. Les fleurs – surtout les tulipes – furent et restent la passion des Hollandais et une des richesses de leur pays. La création de nouvelles espèces de tulipes, obtenues grâce à des croisements savants et de minutieux traitements, leur procura des gains énormes: L'Histoire a gardé le souvenir des prix fabuleux, payés pour les bulbes de certaines fleurs rarissimes. L'aristocratie et la grande bourgeoisie hollandaises firent de véritables folies pour se les procurer. De nos jours encore, on garde en Hollande, une véritable passion pour la tulipe qui reste un emblème national. Ci-dessus: scène de la vie quotidienne. Les "intérieurs" furent un "genre" très prisé par les Hollandais, qui aimaient leurs maisons, de façon presque viscérale. Ces tableaux sont d'authentiques témoignages sur la vie et les coutumes des citoyens bataves du temps, mais qui atteignent souvent les sommets de l'art. Il suffit de penser à Vermeer de Delft. Cette Visite du médecin, à qui la mère de la malade offre le verre de l'amitié est une oeuvre de Jan Steen (1626-1679).

IL RENCONTRE ET EPOUSE SASKIA

C'est parce qu'Amsterdam lui offrait de plus grandes possibilités de travail, mais aussi parce qu'il y espérait une commande extrêmement importante, que Rembrandt, semble-t-il, décida de quitter Leyde. A l'appui de cette hypothèse, on peut invoquer la date qui figure au bas de son premier chef-d'oeuvre: "*La leçon d'anatomie du docteur Tulp*". 1632, c'est l'année qui suit l'installation du peintre à Amsterdam. Il arriva dans cette ville après avoir touché sa part de l'héritage, laissé par son père (mort le 27 avril 1630), et s'y fixa, en compagnie de sa soeur Lijsbeth à laquelle il était très attaché. Avant de quitter Leyde, il avait passé accord avec un marchand de peinture d'Amsterdam, qui le connaissait, et lui avait déjà acheté plusieurs toiles: ce marchand s'appelait Hendrick van Uylenburch. Rembrandt dut habiter chez lui. Uylenburch était en relations avec des mécènes et des artistes, et son protégé rencontra chez lui, des gens utiles. Mais surtout, il y fit connaissance de celle qu'il allait épouser, quelques années plus tard: Saskia van Uylenburch. Elle était la fille de Rombert van Uylenburch, bourgmestre de Leewarde, une petite ville de Frise. A la mort de son père, la jeune fille était venue habiter chez son oncle, à Amsterdam. Entre Rembrandt et Saskia, il y eut d'abord de la sympathie, puis de l'amour.

Quelques lignes écrites sous un dessin, représentant Saskia – l'un des rares autographes connus de Rembrandt – nous permettent de connaître la date de leurs fiançailles: "Fait, en regardant ma future épouse lorsqu'elle avait 21 ans, trois jours après nos fiançailles, le 8 juin 1633". La famille de Saskia considéra son mariage, comme une mésalliance. Mais Hendrick van Uylenburch était favorable à cette union, et les deux jeunes gens se marièrent, le 22 juin 1634. D'après ses nombreux portraits, Saskia était une fille superbe. Et de surcroît, elle apportait en dot, 42.200 florins, somme très considérable pour l'époque. Les époux vécurent d'abord chez l'oncle van Uylenburch; puis, au début de 1636, ils louèrent une maison, au numéro 20 de la Nieuwe Doelenstraat. Par la suite, ils s'installèrent dans Binnen Amstel (l'Amstel est la rivière d'Amsterdam) et en 1639, ils achetèrent enfin, pour treize mille florins, la maison que l'on peut encore voir de nos jours dans la Breestraat et qui s'appelle depuis lors "La Maison de Rembrandt".

En haut: Portrait de Saskia, *exécuté au crayon par Rembrandt, trois jours après leurs fiançailles (Berlin, Musée d'Etat, Cabinet des Estampes). Au-dessous: portrait de Titus, le seul des enfants de Rembrandt et de Saskia, qui ait survécu. C'était leur quatrième et dernier enfant. Il naquit en 1641 et Rembrandt le peignit souvent. Page ci-contre: Saskia, coiffée* d'un chapeau. C'est l'un des plus beaux portraits que Rembrandt fit de sa ravissante épouse. Peint en 1634, il date de la première "période" d'Amsterdam que l'on peut fixer entre 1631 et 1636. Ce tableau élégant mais un peu solennel, inspiré de la manière de Rubens, se signale par la richesse de ses couleurs et la qualité de son exécution (Kassel).

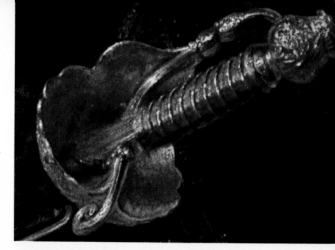

Ci-dessous, à gauche: Détail de la tête de Saskia, portant une sorte de résille et des boucles d'oreilles de perle. Il existe une exquise harmonie entre le teint rosé de la jeune femme, et les tons foncés. A droite du portrait de Saskia, la main de Rembrandt, brandissant un verre empli de bière. Ci-contre: détail de la garde de l'épée de Rembrandt, un chef-d'oeuvre d'observation et d'habileté technique. A droite: le tableau entier. La composition, avec le mouvement horizontal du bras gauche de Rembrandt et celui du bras droit, dressé comme un axe vertical, entre les deux têtes, est à la fois dynamique et équilibrée. L'ensemble, d'un modernisme extraordinaire, préfigure Delacroix et les Impressionnistes.

Ci-dessous: détail de la tête de Rembrandt. Ce visage, traité avec un réalisme bon enfant, reflète une confiance juvénile dans la vie et une gaîté communicative. Parmi les nombreux auto-portraits que le peintre exécuta, il n'en est aucun où ce sentiment s'exprime, de façon aussi vive. Le chapeau à plume projette une ombre qui donne de la vigueur au bas du visage illuminé.

AMATEUR D'ELEGANCE ET DE LUXE

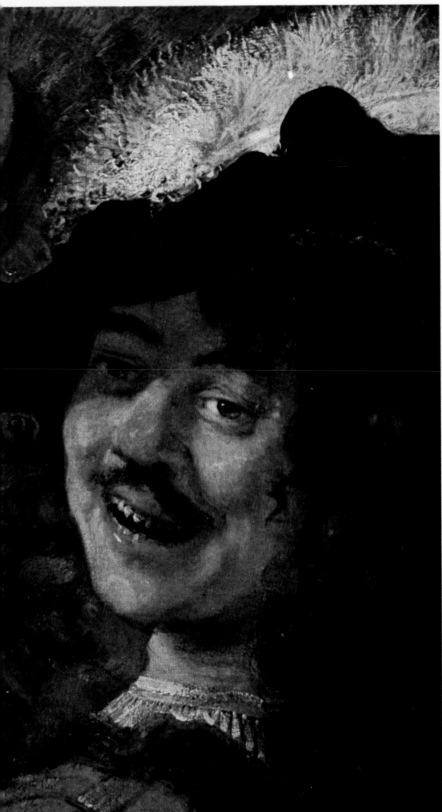

La célèbre toile représentant "Rembrandt et sa femme Saskia" – aujourd'hui à la Galerie de Dresde – dut être exécutée vers la fin 1634. Ce tableau révèle l'un des côtés les moins connus du tempérament du peintre: une joie de vivre, proche de la tonique et bruyante gaieté des paysans flamands, peints par Breughel, Jordaens ou Teniers.

Cet amour de la vie et des hommes, ce plaisir évident qu'éprouve Rembrandt à percer leurs sentiments profonds et à saisir leur vérité, est l'une des clefs du réalisme de son oeuvre. Plus tard, lorsque les drames – comme la mort de Saskia – bouleverseront et assombriront sa vie, Rembrandt deviendra un homme amer, distrait, que choque et énerve la joyeuse agitation de sa ville, et qui se réfugie dans l'art, comme dans un monde clos, dont il ne sort qu'avec réticence. Mais pour l'instant, Rembrandt est dans tout l'éclat de son exubérante jeunesse et de sa force créatrice. Porté par le succès, il est enclin à l'optimisme. Il ne pense qu'à jouir de la vie et se laisse aller à sa gaieté naturelle. Il aime le luxe et l'élégance, s'amuse à se travestir, s'abandonne à la fantaisie, qui constitue l'autre originalité de son art. Il a intensément aimé la réalité de son temps, de sa société, de sa ville. Il la recrée, à travers son émerveillement. Ce portrait du peintre et de sa jeune et fraîche épouse, est l'oeuvre d'un amoureux, et reflète la complicité heureuse et satisfaite, qui règne entre deux jeunes mariés, gâtés par la vie. Rembrandt s'est peint en uniforme d'officier. Saskia porte de riches vêtements, et s'est parée de ses plus beaux bijoux. Elle est assise sur les genoux de son mari qui l'enlace tendrement, et brandit un verre empli de bière blonde, comme s'il portait un toast, à la santé du spectateur qui contemple son bonheur. L'exécution désinvolte et précise, l'harmonie des couleurs et de la composition, font de cette toile, un chef-d'oeuvre. Le tableau reflète la richesse et les joies domestiques de la bourgeoisie hollandaise du temps. Mais il explique peut-être comment son mariage avec une jeune fille plus riche et de rang social plus élevé que lui, causa la ruine du peintre. Bien qu'il gagnât très largement sa vie, Rembrandt se laissa aller à contracter de très lourdes dettes, soit qu'il ait voulu soutenir le train de vie auquel sa femme était habituée, soit qu'il ait cédé à son goût pour les objets rares et coûteux.

SASKIA: IMAGE DE LA BEAUTE

Nous connaissons sept ou huit portraits de la mère de Rembrandt, douze de sa soeur Lijsbeth, cinq de la femme de son frère Adriaen, mais les tableaux, dessins ou gravures qu'il nous a laissés de Saskia, et dont certains ont, hélas, disparu, sont innombrables. Il a peint sa jeune épouse, habillée à la mode de l'époque, mais aussi revêtue de fastueux vêtements de fantaisie, et elle figure également parmi les personnages de ses tableaux d'inspiration religieuse. Elle est, alors, son modèle préféré, et il la transforme selon les exigences du sujet sur lequel il travaille. S'il peint Saskia, ce n'est pas seulement parce qu'il l'aime, mais surtout parce qu'elle répond aux canons de la beauté féminine telle qu'on la concevait alors en Hol-

lande. Et si certains critiques des XVIII et XIXeme siècles, nourris d'art classique, ont reproché à Rembrandt d'être insensible à la beauté, c'est parce qu'ils appréciaient celle-ci d'après les critères de leur temps, alors que ces canons varient d'une époque à l'autre. Ainsi, on reste surpris de découvrir à travers des toiles de Botticelli, comme "le Printemps" ou la "Naissance de Vénus", ce que pouvait être l'idéal féminin des Italiens de la Renaissance. De même, les beautés lourdes, et trop plantureuses de Rubens, reflètent le goût de ses contemporains.
A l'époque, la beauté féminine ne se conçoit qu'opulente. Et si l'on compare Rembrandt à Rubens, on s'aperçoit que ces deux hommes, si différents de formation et de tempérament, se rejoignent dans un même goût pour les filles du Nord au teint de lait, aux formes pleines, aux cheveux "blond vénitien" et au sourire franc et gai. Mais Rembrandt restitue à ses modèles une vie et une chaleur humaine qu'on ne retrouve que rarement dans les oeuvres de l'Anversois Pierre-Paul Rubens.

En page de gauche: Portrait de Saskia, tenant une fleur rouge (Dresde, Musée d'Etat). C'est le dernier portrait de Saskia, que Rembrandt exécuta avant la mort de celle-ci. Le sourire incertain, sur le visage, l'attitude un peu timide sont saisis là avec beaucoup de vérité et de tendresse. En haut, à droite: une image de Saskia pensive, vue de face. Elle surmonte un profil féminin plus soucieux (dessin en blanc et noir de 1637). Au-dessous: Suzanne au bain, daté de 1647 (Berlin, Pinacothèque). Ci-dessus: Danae (1636, Léningrad, musée de l'Ermitage). On peut considérer ce tableau comme l'un des plus beaux du maître. Même ce thème, il ne le traita pas, d'une façon classique, respectueuse de la mythologie. Le geste de cette femme nue, étendue sur un lit moelleux, ce corps caressé par la lumière, nous imposent l'impression d'une intimité que l'on vient de surprendre. L'oeuvre évoque Saskia dont le souvenir anime d'évidence cette toile. Au-dessous: détails du portrait L'Armateur et sa femme (Buckingham Palace, Londres); plus à droite, étude pour la Suzanne au bain (Paris, collection Bonnat), une réalisation beaucoup plus fade.

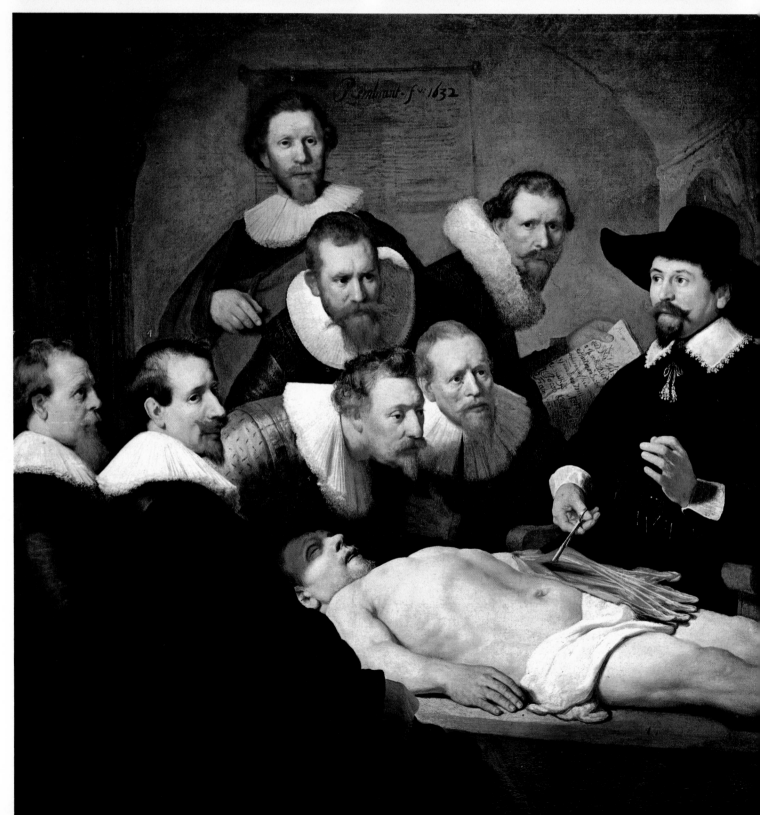

UN DES PREMIERS CHEFS-D'OEUVRE: "LA LEÇON D'ANATOMIE"

Deux leçons d'Anatomie, *peintes par des artistes qui précédèrent Rembrandt. A gauche, celle du docteur Sébastien Eberstz, exécutée par Thomas de Keyser (Amsterdam, Rijksmuseum). A droite, celle du docteur van der Neer (Hôpital de Delft). La nouveauté et la valeur de la composition de Rembrandt (détail, en bas à gauche) éclatent quand on la compare aux deux autres.*

Rembrandt est bien accueilli par la riche bourgeoisie d'Amsterdam, car il sait, dans ses portraits, flatter le goût de ses clients, pour le style traditionnel, mis à la mode par Thomas de Keyser et d'autres portraitistes. C'est sans doute pourquoi on lui commande ce portrait collectif qu'est la *Leçon d'anatomie du docteur Tulp*, l'un de ses plus grands chefs-d'oeuvre. Il s'attendait peut-être à cette commande, s'il est vrai, comme on l'a prétendu, qu'il était rentré à Amsterdam dans l'espoir de décrocher très rapidement une affaire importante. Quoi qu'il en soit, la corporation des chirurgiens que dirigeait alors Nicolas Tulp, le chargea d'exécuter ce tableau. Le portrait collectif fut, à l'origine, une mode typiquement hollandaise (le musée de Haarlem est illustré par les admirables ensembles de Frans Hals). On trouve cependant ce genre de tableaux dans d'autres pays, mais en Hollande, ces oeuvres sont particulièrement nombreuses et reflètent l'attirance des Hollandais pour les institutions collégiales ou corporatives. Ces peintures de groupe étaient très en vogue à l'époque de Rembrandt. Les diverses corporations de la ville les commandaient aux meilleurs artistes. Le thème de la leçon d'anatomie avait déjà été traité par d'autres peintres, avant Rembrandt, mais celui-ci renouvela totalement, le sujet, grâce à la puissance des effets et des contrastes dont il sut jouer. La lumière frappe le cadavre qui gît, livide, au milieu du groupe sombre des médecins. Cette forme blême, impressionnante sur le noir des habits des vivants, accroche le regard. Mais l'oeil est attiré encore plus irrésistiblement par la tache rouge du bras écorché et par les mains qui le dominent. Des mains habiles, calmes, presque rassurantes. La disposition du groupe des élèves, une classique composition en triangle, s'ordonne en fonction du cadavre et du maître chirurgien; elle reporte et concentre l'intérêt, sur le docteur Tulp. Un récent nettoyage du tableau a accusé la vivacité des couleurs et l'admirable équilibre, voulu entre elles, par le peintre. Rembrandt a su conserver à Tulp et à ses élèves une attitude très naturelle. Mais, ce qui s'impose avec une puissance exceptionnelle à l'examen attentif, après le premier choc, c'est l'intense attention des personnages, qui traduit le caractère psychologique de chacun, et serait insoutenable sans le sourire absent et rêveur de l'un d'eux.

Rembrandt traita ce tableau collectif avec une véracité scrupuleuse. Il semble que le cadavre ait été celui d'un fabriquant de flèches: Adriaen Adriaensz, âgé de 28 ans. Jugé pour crime, il avait été pendu le 31 janvier 1632. Les assistants sont des membres de la Corporation des Chirurgiens d'Amsterdam, et on connaît le nom de cinq d'entre eux. Malgré son souci de vérité, Rembrandt traite, très librement, son sujet. On le voit, soit à la disposition des personnages et à leurs attitudes, soit au relief qu'il prête à chacun, selon un jeu savant qui donne variété et vie, aux différents visages. La concentration des regards et des attentions est saisissante. Et c'est cette intensité des sentiments qui crée l'atmosphère générale, tendue et passionnée du tableau. Ci-dessus, détail de la toile: le visage du docteur Tulp.

LES HOLLANDAIS DE SON TEMPS ETAIENT TRES RICHES

En 1609, trois ans après la naissance de Rembrandt, fut signée la "Trêve de 12 ans" qui interrompit la guerre que les Provinces-Unies soutenaient contre l'Espagne. Cette trêve permit à la Hollande de connaître un extraordinaire développement. La richesse du pays s'accrut considérablement et cette opulence soudaine, s'alliant aux conceptions politiques et religieuses des Hollandais, modifia profondément leur style de vie. Les moeurs se firent plus raffinées. Un artisanat expert et ingénieux se développa et se mit à produire des étoffes, des objets, des meubles d'une somptueuse élégance, qui décorèrent bientôt tous les intérieurs bourgeois. Quant à l'aristocratie, influencée par ses contacts avec l'Espagne, elle s'était engouée pour le décor fastueux des palais espagnols. Les vêtements se firent de plus en plus riches, leur coupe et leur parure plus recherchées. Il suffit, pour s'en convaincre, de regarder les propres portraits de Rembrandt et de son épouse. Seule, la bourgeoisie calviniste hollandaise resta réfractaire à cette tendance générale. Vivant très confortablement, dans des maisons magnifiques et somptueusement meublées, elle garda des vêtements sévères: ceux des personnages de toiles, comme "Les syndics des Drapiers". Elle se piquait d'art et de culture, considérés comme des ornements spirituels indispensables à ceux qui occupent une position sociale élevée. Marchands et armateurs d'Amsterdam s'intéressaient aux mouvements des idées et leurs bibliothèques étaient abondamment garnies d'ouvrages d'histoire, de sciences ou de philosophie. Durant les trois années où il habitera Amsterdam, Descartes s'émerveillera du contraste entre l'activité fiévreuse et cosmopolite des grands bourgeois de la ville, et la chaude intimité de leur vie familiale. Les tableaux d'intérieurs hollandais nous font pénétrer dans l'intimité des pittoresques maisons à pignons, à peine patinées par le temps, qui s'alignent aujourd'hui encore au long des canaux d'Amsterdam. Chaque famille possédait sa maison, et cette bourgeoisie de marins et de marchands sut accueillir et apprécier artistes, savants, hommes de lettres, et imprimeurs. A tel point qu'Amsterdam mérita le titre d'"Athènes du Nord". Avec Frans Hals, Rembrandt fut le meilleur portraitiste de cette société, qu'il peignit dans son cadre de vie habituelle, avec une étonnante acuité psychologique.

A gauche: un beau portrait de jeune fille, très délicat de ton et de lumière, exécuté par Johannes Cornelius Verspronck (1597-1662), et conservé au Rijksmuseum d'Amsterdam. Au-dessous: portrait du poète Herman Krul, peint par Rembrandt en 1633. L'expression du caractère, la simplicité et l'élégance de l'ensemble en font un tableau absolument remarquable (Kassel, Musée). A droite: Portrait de Willem Burchgraeffe (1633). La lumière tombe avec netteté, sur le grand col de dentelle, et sur le côté droit du visage florissant de ce boulanger et marchand de grains de Rotterdam (Pinacothèque de Dresde). En contraste violent, l'ombre portée sur l'autre côté du visage, accuse le relief de celui-ci. Rembrandt, dans ses portraits, usait volontiers de ce procédé, qui lui permettait de donner une vigueur étonnante aux traits de ses modèles.

L'EXOTISME, TOILE DE FOND D'AMSTERDAM, AU XVIIème SIÈCLE

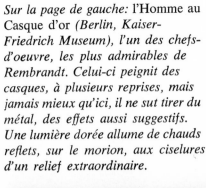

A dix-sept ans, alors qu'il travaillait dans l'atelier de Lastman, Rembrandt avait été très impressionné par le faste et la richesse de l'art baroque que son maître pratiquait et avait appris du Caravage, lors de son long séjour à Rome, encore que son style s'écartât considérablement de la manière du grand peintre italien. A Amsterdam, ce carrefour du monde d'alors, Rembrandt fut envoûté par l'exotisme qui colorait l'intense activité commerciale du port. Son goût pour le pittoresque insolite, émané des terres lointaines, ne lui vint pas seulement de l'attirance que son oeil de peintre ressentait tout naturellement pour le scintillement des ors et des pierres précieuses, le chatoiement délicat des soies et des velours. Ni de l'étonnement qu'il pouvait éprouver quand le hasard de ses promenades le mettait nez-à-nez avec des Noirs, des Malais, des Indiens, ou des Japonais. Non plus que, de la vue des fruits étranges, des épices, des produits rares et odorants, qui s'entassaient dans les entrepôts, et que cinquante mille "rouliers des mers", embarqués sur les navires hollandais, ramenaient de toutes les terres du monde. Certes, ce spectacle multiple et bigarré était de nature à inspirer Rembrandt. Mais s'il stimulait son imagination, c'est que la sensibilité profonde du peintre le portait instinctivement vers l'exotisme et le baroque, bien que ce goût puisse sembler en contradiction avec la haute spiritualité qui l'animait. Rembrandt trouva dans le pittoresque d'Amsterdam une source inépuisable de couleurs et de formes dont il usa pour donner à son art, plus de nouveauté et de poésie. Mais, lorsqu'on analyse attentivement son oeuvre, on se rend compte que ses choix sont délibérés et en accord avec son tempérament. Tout l'attire, rien ne le laisse indifférent, mais il sélectionne et ne retient comme éléments d'inspiration, que ce qui s'adapte parfaitement à son art. Son génie s'épanouit, devant ce qui est pittoresque, mais reste toujours harmonieux. Rembrandt atteint au bizarre, sans toutefois jamais le considérer comme une fin en soi. Plus tard, il trouvera une autre source d'exotisme, dans le quartier juif d'Amsterdam. Les Israélites sont nombreux en Hollande où le commerce est prospère, et où règne la tolérance religieuse. L'orientalisme qui baigne certaines toiles de Rembrandt, est né des contacts qu'il entretint avec ces mondes aussi divers qu'originaux.

Au centre, en haut: portrait dit de Sobieski à cause de la curieuse toque de fourrure du modèle. Pour certains, il s'agit d'un auto-portrait "camouflé" de Rembrandt, pour d'autres, du portrait d'un noble polonais (1637, Léningrad, Ermitage). Au-dessous: La réconciliation d'Absalon et de David, datée de 1642 (Léningrad, Ermitage) et Le Rabin au turban (1635, Chatswort, Derbyshire). Ci-dessus: Portrait de Maria Trip. Cette toile est d'une élégance somptueuse mais un peu froide (1639, Rijksmuseum, Amsterdam).

REMBRANDT PUISE TOUT DANS LE REEL, MAIS LE TRANSFORME PROFONDEMENT

L'art de Rembrandt procède d'un sens aigu de la réalité, transfigurée par son exubérante imagination. Quand on examine ses dessins, ses gravures, ses tableau, on est frappé de la patience minutieuse avec laquelle il étudiait détails et ensembles, puisant dans le monde sensible, tous les éléments que celui-ci pouvait lui apporter. Mais il les transposait immédiatement, sur un plan poétique et intellectuel. Son art part de la réalité, mais il distille l'essence de celle-ci à travers sa propre vision intérieure, et l'exprime grâce à une extraordinaire maîtrise du dessin, de la composition et de la couleur. Pour dispenser son enseignement à ses élèves, Rembrandt transforme en atelier, un ancien magasin situé sur le Bloemgracht. C'est là, sans relâche, qu'il approfondit sa technique, qu'il maîtrise et discipline pas à pas son talent. A ses débuts à Leyde, il a, à travers Lastman, subi l'influence de l'école italienne. Il en a appris l'art d'utiliser la lumière, la variété des compositions et l'emploi de certaines couleurs claires et froides. Plus tard, à Amsterdam, ses goûts le porteront vers le baroque. Dans le mouvement vigoureux de ses tableaux, s'annonce déjà la manière de Rubens, et ses portraits révèlent la main d'un maître, qui pousse parfois jusqu'à la minutie. Sa seconde période amstellodamoise, entre 1636 et 1642, se caractérise par des compositions plus calmes, plus sereines. Sa palette est plus libre et plus large, avec une très légère influence du Titien ou de Raphaël. Durant la troisième époque de sa vie à Amsterdam, entre 1642 et 1656, son style subit un bouleversement profond, s'affine, s'épure, se débarrasse de toute réminiscence du baroque. Son art devient tout de réflexion, de concentration, d'équilibre. Ses tableaux d'inspiration religieuse atteignent une simplicité, qui suscite une profonde émotion. La lumière et la couleur s'y font encore plus chaudes, plus délicates. Il marie, de plus en plus intimement, le dessin et la peinture, dans une sorte d'aboutissement où la couleur prend le pas sur le graphisme. Enfin, dans les dernières années de sa vie – sa quatrième époque amstellodamoise – sa touche dense et vigoureuse exprime une vision du monde, très personnelle et profondément humaine. Sa palette, alors, joue sur des tons riches et vibrants: des jaunes, des rouges, des bruns, tandis qu'une lumière dorée, irréelle baigne ses compositions.

Ci-dessus: Chasseur au butor *(1639, Dresde, Pinacothèque). L'oeuvre est remarquable: le plumage de l'oiseau, mis en pleine lumière, est d'une étonnante richesse. Le chasseur semble être l'artiste lui-même sous un des déguisements qu'il affectionnait beaucoup. Au-dessous: très beau portrait de Titus, le fils de Rembrandt, en habit de moine (1660, Rijksmuseum).*

Ci-contre, à gauche: Saskia sous les traits de Flore (1635, Londres, National Gallery). A droite: La Jeune fille aux fleurs, appelée également La fiancée juive (1634, Léningrad, Ermitage); il s'agit, d'évidence encore, de Saskia qui, dans chacun de ces tableaux, est présentée sous un accoutrement différent. Déesse mythologique dans le premier de ces tableaux – sans que rien d'ailleurs y rappelle l'Antiquité – ou fiancée juive, Saskia n'endosse ces déguisements que pour fournir à l'artiste un prétexte à peindre de radieuses images de la jeunesse, comblée et triomphante. Ci-dessous: détail du visage, couronné de fleurs de La fiancée juive. On peut voir ce tableau au Musée de l'Ermitage, à Léningrad, où il est conservé.

Ci-dessous: Siméon au Temple
*(1637, Mauritshuis). Le clair-
obscur, utilisé dans toutes ses
possibilités, la subordination des
visages à l'espace et, surtout, à
l'expression, donnent au sujet, le
ton solennel qui convient pour
dépeindre un événement aussi
mémorable. Rembrandt avait déjà
traité ce sujet entre 1628 et 1629.
Au-dessus:* Le sacrifice d'Abraham
*(eau-forte); page de gauche: le
même thème, d'après un tableau de
1633, mélodramatique et peut-être
inspiré de Rubens. Ceci prouve
qu'un très grand peintre ne se
montre pas toujours égal à lui-
même. A droite:* L'ange quitte
Tobie *(1637, Paris, Louvre). La
lumière, qui nimbe l'ange, semble
vouloir laisser les personnages
dans les ténèbres, d'où il s'arrache.*

LES GRANDS THEMES
DE L'ECRITURE SAINTE

Rembrandt connut, dès l'enfance, les Ecritures. Il a d'ailleurs souvent représenté sa mère, lisant la Bible. Les lectures à haute voix étaient habituelles à cette époque, et l'on peut supposer que l'imagination du petit Rembrandt fut bercée par les récits fantastiques et merveilleux de l'Ecriture Sainte. C'est sans doute, alors, que germa, dans son âme naïve d'enfant, cette piété qui imprègnera plus tard ses oeuvres d'inspiration religieuse. Rembrandt s'attaqua très tôt aux grands thèmes bibliques et probablement sans trop espérer le succès. Ses premiers tableaux religieux furent pourtant bien accueillis à Leyde. Mais ce premier succès était dû à des conditions très particulières: d'abord à l'influence déterminante de l'Université; et ensuite au fait qu'à Leyde, on s'intéressait peut-être davantage qu'ailleurs, à l'étude et à la discussion des textes sacrés. Rembrandt n'était pas sans savoir que les diverses confessions réformées, implantées dans les Provinces-Unies – les calvinistes,

surtout – réprouvaient, par puritanisme, la décoration des lieux du culte, et proscrivaient rigoureusement toute iconographie dans les temples. La clientèle des églises, des prélats, des communautés catholiques n'existait pas – ou guère – en Hollande. Des particuliers achetaient certes, des tableaux traitant de thèmes sacrés, mais uniquement dans un but d'édification familiale. Les commandes risquaient donc d'être rares. L'intérêt de ces acheteurs se déplaçait d'ailleurs peu à peu vers les sujets d'inspiration profane et Rembrandt tirera surtout sa réputation du genre préféré des Hollandais: le portrait. Mais toute sa vie durant, il continuera pourtant à peindre des tableaux religieux, parce qu'ils répondent à ses propres aspirations spirituelles. Les grands récits de la Bible l'exaltent et il y trouve l'occasion de donner libre cours à sa puissance d'imagination tout en restant prudemment à l'écart des discussions théologiques, fréquentes, dans la Hollande de son temps. Sans doute, appartenait-il, comme sa mère, à la secte des Mennonites. Dans ses tableaux religieux tout imprégnés d'un sens profond du sacré, auquel se mêlent d'extraordinaires accents humains, il exprime librement et concrètement, sa foi, très réelle unissant ainsi ses propres sentiments à sa technique.

LA BIBLE STIMULE SON IMAGINATION

C'est sa parfaite connaissance de la Bible, qui guide Rembrandt dans le choix de ses thèmes d'inspiration religieuse. Mais aussi, le souci et le désir d'interpréter des sujets qui ont été négligés par ses devanciers. Les textes sacrés ont été très exploités par les peintres avant lui, mais par tradition, ceux-ci ont toujours porté leur choix vers les mêmes sujets. Rembrandt veut échapper à ces poncifs. Ses choix témoignent de la totale liberté de son esprit et de son goût pour le merveilleux et le fantastique: la composition de ses tableaux mêle alors, avec une invention exubérante, des élément baroques, orientaux, juifs, mais le décor emprunte beaucoup aux intérieurs hollandais de l'époque. Il procède de même, en ce qui concerne les costumes de ses personnages. Enfin, il écarte, résolument, toute représentation allégorique ou symbolique: il s'en tient au texte, qu'il transpose sur sa toile, avec une fidélité rigoureuse, mais en utilisant toutes les ressources de son imagination et de sa technique. Et sa réussite est complète, grâce à ce don qu'il a de tout sublimer et qu'il utilise ici, à son plus haut degré. Grâce aussi à sa façon originale de camper ses personnages, qu'ils soient isolés ou groupés. Grâce, enfin, à l'espèce de magie avec laquelle il joue des contrastes entre l'ombre et la clarté. De brusques projections de lumière, luttent contre des espaces obscurs, qui semblent se prolonger à l'infini, ou s'ouvrir sur des profondeurs abyssales. La splendeur des gemmes, le chatoiement des étoffes, l'aspect étrange des vêtements ou des chapeaux qui parent ses personnages, apportent leur contribution à la création d'un monde étonnant de formes et de couleurs. D'une façon très neuve et très personnelle, Rembrandt exprime à la fois la grandeur et l'éternité des thèmes sacrés, et son propre idéal de la beauté. Il n'a rien d'un philosophe subtil, ni d'un savant, et puise son inspiration dans sa foi et dans la lecture de l'Ancien et du Nouveau Testament. Mais sa vision du monde biblique est d'une originalité unique, exceptionnelle, à la fois précise et fantastique. Rembrandt est le créateur d'un "spectacle" spirituel, où s'affirme la profondeur et la puissance de sa foi. Son compatriote Van Gogh, dont l'âme fut si tourmentée affirmait: "Il n'est pas possible de regarder un Rembrandt, sans croire en Dieu".

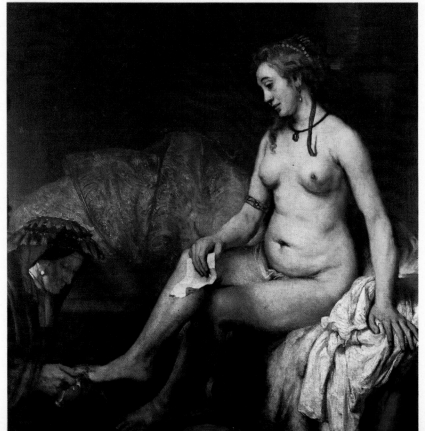

A gauche: Les Noces de Samson (1638, Dresde, Pinacothèque). La scène est éclairée de gauche à droite, de façon à souligner le mouvement de toute la composition qui s'ordonne dans le même sens, vers Samson, en train de proposer une énigme aux convives. La toile trouve son équilibre grâce au personnage féminin, immobile et rutilant, placé au centre.

Ci-dessus: Samson menaçant son beau-père (1635; Berlin, Musée). L'épisode est raconté avec humour et accuse le contraste entre les expressions des deux visages. En bas, à gauche: Bethsabée (1654, Paris, Louvre). Avec grandeur et simplicité, le peintre nous présente le corps nu d'une femme encore belle, à sa toilette, peut-être celui d'Hendrickje Stoffels, qui resta fidèlement auprès de lui après la mort de Saskia. Pensive et comme résignée à son destin, Bethsabée tient en main la lettre qu'elle présentera au roi David. A droite: Artémise (Madrid, Prado). Cette reine de l'Antiquité est parée de vêtements somptueux, et la petite fille vêtue de sombre à gauche, accentue encore la majesté de l'attitude du personnage principal.

LA RONDE
DE NUIT

A gauche: La ronde de nuit.
La critique, surtout à la fin du
XIXeme siècle, ne fut pas toujours
favorable à ce tableau, qui reste
pourtant le plus significatif de
l'art de Rembrandt et le plus
représentatif d'un certain visage
de la Hollande de son temps. C'est
un extraordinaire chef-d'oeuvre, qui
impose à celui qui le voit pour la
première fois, une émotion intense.
C'est aussi le plus grand portrait
collectif que Rembrandt exécuta. On
l'appelle également "Le cortège des
arquebusiers", ou "La compagnie du
capitaine Franz Banning Cocq et du
Lieutenant Willem van Ruytenburch".
Les arquebusiers, commandés par
Cocq, viennent de décrocher leurs
armes des râteliers, et sont sur le
point de quitter leur caserne, pour
une ronde de nuit d'où le nom de
Ronde de nuit *donné à cette*
oeuvre et sous lequel elle est
universellement connue. Ce titre
lui vient aussi du fait que les
couleurs étaient très sombres avant
le récent nettoyage du tableau. Ses
dimensions actuelles (3 mètres 59
de haut, sur 4 mètres 38 de large)
ne sont pas celles qu'il possédait
à l'origine. Il fut légèrement
recoupé au dix-huitième siècle,
quand on l'enleva de la "Maison
des Gardes", pour laquelle il avait
été exécuté. Malgré le nombre des
personnages, l'oeuvre ne fut payée
que mille six cents florins.
Chacune des personnes représentées
ne dépensa donc que quatre-vingt-
dix florins environ, pour son
portrait. Le tableau se trouve
aujourd'hui au Rijksmuseum. Placé
plus bas, que dans la "Maison des
Gardes", il est parfaitement mis en
valeur. C'est l'un des tableaux du
monde devant lesquels défilent,
chaque année, le plus de visiteurs.

On peut comparer la Ronde de nuit *à gauche, à cette copie à l'aquarelle réalisée par un peintre inconnu. Ce dessin qui figure dans l'album de la famille Cocq (1653), reproduit le tableau dans son intégralité. Au-dessous:* La Compagnie du capitaine Reynier Reael et du lieutenant Cornélis Blaeuw, *de Frans Hals et Pieter Codde (Amsterdam, Rijksmuseum).*

En bas: deux portraits collectifs de compagnies. Le premier, de Thomas de Keyser, représente celle de Jacob Symonsz de Bries et du lieutenant Dirck de Graeff (1633). Le second, de Werner van den Walckert, montre la compagnie d'Albert Coenraetsz Burgh et du lieutenant Evertsz Hulft 1625). Ci-contre: détails très agrandis de La Ronde de nuit, *de Rembrandt.*

LES HOMMES DU CAPITAINE COCQ MARCHENT AU SON DU TAMBOUR

Les compagnies militaires, dans lesquelles s'enrôlaient volontairement les citoyens hollandais, restèrent en service même après la signature de la paix avec l'Espagne. Les bons bourgeois des Provinces-Unies adoraient jouer aux soldats, et ne perdaient aucune occasion de parader martialement, avec leurs armes et en grand uniforme. La "Ronde de nuit" fut peinte en 1642, six ans avant la signature de la paix. La tradition voulait que chaque compagnie commandât un tableau, représentant ses membres, là où ils avaient l'habitude de se réunir. C'est en comparant la toile de Rembrandt à d'autres tableaux collectifs, que l'on mesure à quel point l'invention et le génie du peintre renouvelèrent le sujet. Première trouvaille: ses personnages ne sont pas immobiles et figés, mais en mouvement, et ils se déplacent avec un parfait naturel. Cette idée originale a permis à Rembrandt de répartir ses personnages, sur toute une série de plans et de les saisir de façon extrêmement vivante. Cette disposition favorise également le jeu et le contraste des ombres et des lumières. Le tout donne une oeuvre puissante et suggestive, pleine de vie et d'une richesse d'effets extraordinaires. Etant donné les dimensions du tableau, Rembrandt dut naturellement modifier quelque peu sa technique. Le jeu délicat du pinceau fait souvent place ici à l'usage de la spatule. Le peintre joue de toutes les ressources de son talent: étalant les glacis, variant les fonds, opposant les points lumineux, modelant la matière. Tous ces moyens se fondent, s'effacent, à une certaine distance de la toile, mais tous concourent puissamment à lui donner une véritable vie. Avec la "Ronde", Rembrandt libère définitivement sa peinture, de tout immobilisme. Ses jeux d'ombre et de lumière acquièrent une richesse de nuances et de vibrations, que l'on ne retrouve guère que chez le Titien, le Tintoret, et les Bassano. Toute l'harmonie du tableau se fonde sur le contraste de deux couleurs: le jaune et le rouge. Au centre, le capitaine de Cocq, tout vêtu de noir, une éclatante écharpe rouge en sautoir, et tous ces jaunes et ces rouges, autour de lui, ne sont là que pour faire ressortir la splendeur de ce noir. Cette étonnante composition chromatique palpite de vie, et les contrastes violents, entre les taches de lumière et les ombres, accusent encore la sensation intense de mouvement que donnent tous les personnages.

LES VISIONS DE SON EVANGILE

Rembrandt n'avait pas la plume facile. Tout en louant sa peinture, Joachim von Sandrart qui, de 1675 à 1679, publia une série de biographies à la manière de Vasari: la "Deutsche Akadémie", écrit que Rembrandt lisait mal le hollandais. Parmi les rares papiers personnels du peintre, qui soient parvenus jusqu'à nous, il y a sept lettres, adressées à Constantijn Huygens. Cet ami qui était aussi un admirateur de longue date, occupait une charge très importante puisqu'il était secrétaire du "Staathouder", Frédéric-Henri, chef de la maison d'Orange. Le rôle capital joué par cette famille dans la conquête de l'indépendance avait fait que les Provinces-Unies avaient accordé les fonctions de chef d'Etat, au prince. Plus tard, le titre de Staathouder lui fut décerné et servit à le désigner désormais. Dans la troisième des lettres de Rembrandt à Huygens, nous trouvons trace de la seconde et de la plus importante commande de tableaux religieux qu'ait jamais reçue l'artiste: une série de toiles, retraçant la Passion, et commandées par Frédéric-Henri. Cette proposition fut faite au peintre après la *Leçon d'Anatomie du docteur Tulp* et précède celles de *La Ronde de Nuit*, des *Syndics des drapiers* et de la *Conjuration de Claudius Civilis*. Dans sa lettre à Huygens, Rembrandt dit avoir terminé deux des quatre tableaux que le Staathouder l'avait chargé d'exécuter: *La Sépulture du Christ* et *La Résurrection*. Il demande à son ami s'il désire qu'il les lui envoie chez lui et, pour le remercier de lui avoir procuré cet important travail, lui promet un tableau de dix pieds sur huit. Rembrandt accueillit la commande du prince avec un grand plaisir, soit parce qu'elle provenait du personnage le plus en vue de l'Etat, soit parce que les thèmes traités lui étaient chers. En fait, il lui fallut une quinzaine d'années pour achever le cycle entier. Rembrandt était submergé par les commandes, et les tableaux du Prince furent exécutés entre 1630 et 1640. C'est durant cette même période que Rembrandt peignit les deux tiers de ses portraits. Malgré cette activité créatrice inouie, sa pensée s'envolait souvent vers ces sources d'inspiration qu'étaient pour lui l'Ancien et le Nouveau Testament. Ces deux livres éveillaient son imagination et son enthousiasme. Il sut en tirer des images merveilleuses. Le premier tableau qui lui fut inspiré par l'Ancien Testament est "L'Ane de Balaam", (1626).

Sur la page de gauche: La Résurrection de Lazare *(vers 1630; Collection Howard Ahmanson, Los Angeles). Ce récit évangélique fut de ceux qui intéressèrent le plus vivement le peintre. Il traita plusieurs fois ce même thème, recherchant sans cesse de nouvelles solutions aux problèmes de composition et de lumière. Dans cette toile, on sent encore l'influence du Caravage. Le rayon de lumière, qui rompt les ténèbres et souligne fortement le geste de Jésus, ordonnant à Lazare: "Lève-toi et marche", ressortissent de la technique du maître italien. Lazare semble s'éveiller d'un profond sommeil. L'épée, accrochée au mur, est un détail purement anecdotique, mais tout à fait typique du style de Rembrandt.*

LA PRESENCE DE L'HOMME DANS LA VIE DU CHRIST

Son goût pour un certain orientalisme, tempéré de fantaisie, et son sens inné du sacré portèrent tout naturellement Rembrandt, vers la peinture des grandes scènes bibliques. Mais, dans sa façon de les traiter, il concentre essentiellement son intérêt sur l'homme, se servant du paysage, et d'éléments empruntés à la vie quotidienne de son temps, pour créer le décor où il place ses personnages. Il a parfaitement senti les "climats" très différents qui baignent l'Ancien et le Nouveau Testament, et son génie a su rendre admirablement ce contraste, suivant qu'il empruntait ses sujets, à l'un ou l'autre des deux livres sacrés, sans pourtant qu'il y ait rupture de ton, dans l'ensemble de son oeuvre religieuse. Ainsi, dans ses toiles inspirées du Nouveau Testament, Jésus est toujours nimbé d'une mystérieuse aura de douceur et de bonté, qui n'environne aucun des personnages de ses tableaux tirés de l'Ancien Testament, aussi nobles et aussi humains soient-ils. Malgré leur vérité, les épisodes qu'il a peints, de la vie du Christ, baignent dans une atmosphère essentiellement différente de celle qui entoure ses scènes bibliques. Si tragiques soient-elles, aucune de ses représentations de la Passion, n'exhale la violence et la cruauté que dégage, par exemple, la toile peinte en 1636 et actuellement à Francfort, où il montre Samson, les yeux crevés. Rembrandt était sensible à la sombre rigueur, à la brutalité, à l'impitoyable dureté de certains récits mosaïques et il a su en rendre le ton avec une fidélité et une vigueur étonnantes. Mais, avec la même justesse de touche, il a su imprégner de tendresse et d'amour ses tableaux sur la vie du Christ. Dans ceux-ci, il rend présent et sensible, au spectateur, le message de paix et d'amour de Jésus, en contraste avec la loi hébraïque, toute de dure rigueur. Les sujets qui inspirent Rembrandt, sont traditionnels, mais il les renouvelle complètement. Et, au fur et à mesure qu'il avance en âge, les scènes qu'il peint, se font plus recueillies, plus intimes. Une spiritualité, de plus en plus profonde, tempère son réalisme. Sa maestria et son originalité s'affirment quand on compare sa "Cène à Emmaüs", à celle du Caravage, ou sa "Déposition de Croix" avec celle de Rubens, qui, pourtant, ne fut pas sans l'influencer.

Ci-dessous: Une Déposition *de Rubens. Par rapport à celle de la cathédrale d'Anvers, elle comporte de légères variantes (Anvers, Koninklijk Museum). Comparez-la avec celle de Rembrandt, p. 50, de conception beaucoup plus simple.*
En bas: Le Christ porté au sépulcre *(Dresde) et* Le Christ et la Samaritaine, *deux gravures de Rembrandt, où le paysage domine.*

Ci-dessus, à gauche: La Sainte Famille *(1640, Paris, Louvre). Ce thème fut interprété à maintes reprises, par Rembrandt. Ce tableau de petites dimensions, à la fois dépouillé, serein et poétique est la transposition d'une scène familière de l'époque: dans la maison d'un modeste artisan, Saint Joseph, de dos, travaille; Marie et l'Enfant, sont directement éclairés par le soleil, qui entre par la fenêtre, tandis que Sainte Elisabeth qui se penche pour regarder, reste dans l'ombre. Ce tableau est également connu sous le titre* La Famille du menuisier. *Les costumes et le décor sont ceux d'une famille d'artisans hollandais.*

UNE ONDE DE POESIE PENETRE SON REALISME

es deux premières oeuvres que Rembrandt peignit our le prince Frédéric-Henri d'Orange, furent *L'Elé- ation de la Croix* et *La Déposition de la Croix*. A tte époque, il aimait frapper l'imagination, par l'em- oi d'un clair-obscur très accusé, et rehaussé de uleurs intenses. S'il commença par ces deux sujets, série des tableaux qu'on lui avait commandés, c'est robablement que leur exécution lui en fut facilitée r les nombreuses esquisses qu'il avait tracées, à poque où il peignit le cadavre de *La leçon d'Ana- mie*. Ces études l'aidèrent pour traiter la dépouille Jésus. Malgré sa vigueur, le réalisme de Rem- andt reste toujours tempéré par un sentiment hu- ain qui le poétise. L'artiste participe, personnel- ment, à l'événement qu'il retrace. Aussi n'hésite-il s à se placer lui-même, au coeur de l'action. Il est souvent l'un des personnages. C'est ainsi qu'il est peint, aux pieds de Jésus crucifié, dans le ta- eau qui se trouve actuellement à la Pinacothèque Munich, et qui fut exécuté entre 1632 et 1633: s sourcils froncés, le regard chargé d'angoisse, il t coiffé d'un bonnet. On le retrouve encore dans *a Déposition de la Croix*: il est le personnage qui gure en haut, à gauche. Vêtu de bleu, il se tient sur chelle et aide à descendre le corps sans vie du édempteur. Une ombre portée cache en partie l'ex- ession de douleur intense de son visage, mais on stingue clairement cette expression, dans une eau rte qui reproduit *La Déposition*. Le geste de ten- esse qu'il esquisse vers le bras du Christ, est parti- lièrement émouvant. Rembrandt s'interroge, en ef- t, sans cesse sur lui-même. Il l'a fait dans beaucoup auto-portraits, et ceci nous permet de déceler bien s traits de son caractère, notamment le respect, 'il nourrit pour les grands enseignements de la foi. ne s'agit pas chez lui d'un sentiment superficiel, cté par les événements douloureux qui, jalonnèrent fin de sa vie. Même dans ses années de jeunesse, ors que l'amour et le succès lui souriaient, ses ta- eaux trahissent déjà une rare qualité de sentiments. ne cesse de s'y poser la question: "Qui suis-je?". Qui sommes-nous?". "Quel est le sens du courage Christ?". Dans *la Déposition de Croix*, thème qu'il aita plusieurs fois, un rayon de lune exalte la pâ- ur livide du corps du Christ, renforcée encore par s personnages à peine distincts dans l'ombre.

Sur la page de gauche: La déposition de Croix *(1633, Monaco, Grand Musée). La croix en T au centre de la scène, est le pivot de la composition. Tout l'effet de lumière et de mouvement est concentré sur la partie verticale de la toile: la croix, le drap, le corps affaissé du Christ.*
Ci-dessus: Ascension du Christ *(1636, Monaco, Grand Musée). Le Christ monte vers le ciel qui s'ouvre pour le recevoir dans toute*

sa gloire. Le dynamisme de la composition est renforcé par les rythmes qui se développent sur chaque plan, de bas en haut. La séparation entre les deux mondes: le terrestre et le divin, est matérialisée par un vide sombre. L'attitude du Christ rappelle l'Assomption du Titien (église des Frarii, Venise) et s'apparente à la tradition picturale jésuite. Il est rare – et c'est heureux – que Rembrandt ait cédé au goût du temps.

UN TOURNANT DRAMATIQUE DANS LA VIE DE REMBRANDT

1646 est l'année de *La Ronde de Nuit*, mais aussi, celle de la mort de Saskia. La jeune femme s'éteignit le 14 juin. Son fils Titus avait été baptisé, le 22 septembre précédent, mais, dès avant la naissance de l'enfant, Saskia ne se portait plus très bien, et malgré les soins de son mari, son état ne cessa d'empirer. Le 3 juin, elle légua tous ses biens propres à son fils. Son mari en conservait l'usufruit, à condition de ne pas se remarier. Une telle clause était alors d'usage courant. A la mort de sa mère, on donna pour nourrice au jeune Titus, Geertige Direx, veuve d'un joueur de trompette. S'étant attachée à l'enfant, celle-ci fit aussi un testament en sa faveur, lui léguant tout ce qu'elle possédait. Quand cette femme quitta son service, Rembrandt lui versa 150 florins ainsi qu'une pension annuelle de 60 florins. Mais Geertige Direx assigna le peintre devant le tribunal des mariages, l'accusant d'avoir vécu en concubinage avec elle. Elle le sommait ou de la garder, ou de l'épouser, affirmant qu'il lui en avait fait promesse. Le peintre nia tout, mais se vit condamné à payer à Geertige, une pension annuelle de 200 florins. Cette affaire lui fit perdre de nombreuses sympathies. Sans doute, Geertige Direx fut-elle poussée par la jalousie: aux alentours de 1645, en effet, une charmante jeune fille de 23 ans, Hendrickje Stoffels avait fait son apparition dans la maison du peintre et celui-ci en était amoureux. De ses relations avec elle, naquit un enfant, qui mourut presqu'aussitôt, le 15 août 1652. Cette liaison provoqua les médisances et beaucoup des amis de Rembrandt cessèrent de le fréquenter. De plus, les autorités ecclésiastiques exclurent Hendrickje de la table eucharistique, le 23 juin 1654. Ceci n'intimida ni Rembrandt, ni la jeune fille. Ils eurent un autre enfant, une fille qui naquit le 30 octobre 1654. Rembrandt l'appela Cornélia, du nom de sa propre mère. Peut-être, eût-il épousé sa maîtresse, sans le désastre financier qui le frappa alors. Sa maison de la Breetstraat, achetée en 1639, n'était payée qu'en partie. Rembrandt devait encore 8470 florins, auxquels s'ajoutait une autre dette de plus de 9000 florins. La faillite était inévitable. Les van Uylenburch obtinrent la nomination d'un tuteur, pour garantir les intérêts de Titus et hypothéquèrent la moitié de la maison. Le peintre fut déclaré insolvable et tous ses biens furent impitoyablement vendus.

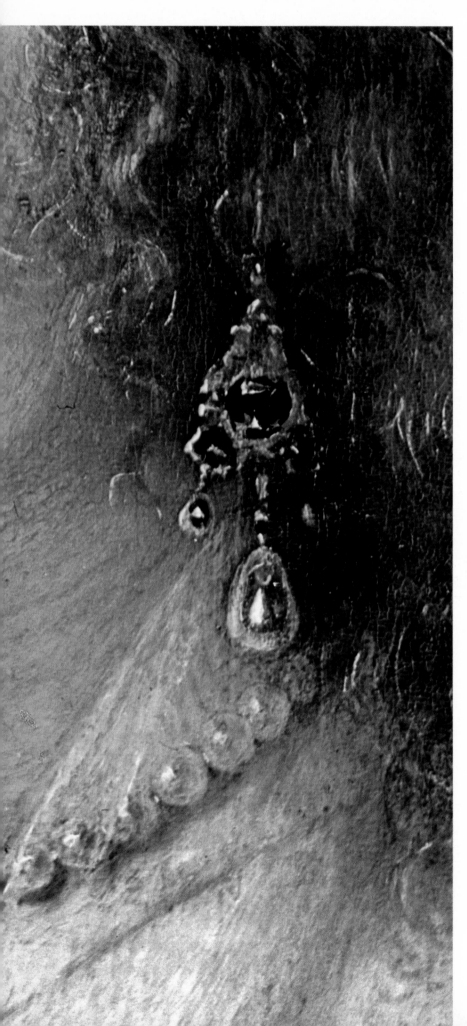

L'INVENTAIRE TRES SIGNIFICATIF D'UNE FAILLITE

C'est à la suite de cette faillite, qu'on fit l'inventaire des biens de Rembrandt, les 25 et 26 juillet 1656. Malgré tout l'argent qu'il gagnait, le peintre était horriblement endetté. Collectionneur passionné, il avait dilapidé des fortunes avec une folle prodigalité, pour acheter les pièces rares ou précieuses, vers lesquelles le portait son tempérament raffiné et plein de fantaisie, et ces objets, que l'on voit figurer dans ses tableaux. Sa maison regorgeait d'authentiques trésors, accumulés depuis des années. Rembrandt savait choisir et fréquentait assidûment les ventes aux enchères d'Amsterdam. Mais acheter pour son plaisir est une chose, être forcé de vendre, et le faire au mieux en est une autre. En outre, la crise financière de Rembrandt coïncidait avec celle que vivait la Hollande tout entière. Au lendemain de leur victoire, les Hollandais se trouvaient dans l'obligation d'affronter l'Angleterre qui, devenue une grande puissance maritime, leur contestait la domination des mers. Du coup, le bien-être extraordinaire dont jouissaient les Provinces-Unies, diminua après 1650, et tous les Hollandais durent serrer les cordons de leur bourse. Ce que Rembrandt avait accumulé tenta donc beaucoup moins les amateurs qu'auparavant. Il possédait des tableaux d'Adriaen Brouwer, de Lievens, de Lastman, de Pijnas, de Seghers et même un grand Rubens: *Ero et Léandre* (aujourd'hui à Dresde); des tableaux de Palma le Vieux, de Moretto, Bassano et sans doute une Madone de Raphaël; des gravures de grande valeur, signées de Luca de Leyde, Cranach, Raphaël, Mantegna, Dürer, Titien, les trois Carrache, Reni, Ribera, Tempesta, sans compter plusieurs volumes où étaient réunis des dessins de Rubens et de Jordaens, de Mierevelt et du Titien, de Lastman et de Bol. Il possédait aussi des recueils de gravures turques et italiennes et d'innombrables reproductions de monuments. Il y avait en outre, environ trente volumes d'esquisses de Rembrandt lui-même, des ébauches et de nombreux tableaux terminés ou non. Enfin, un véritable capharnaüm de médailles romaines, de casques, de cuirasses et armes de tous genres, d'instruments de musique, d'étoffes, de peaux d'animaux, de porcelaines des Indes Orientales, de crosses sculptées, de turbans, de casques japonais, de meubles, de linge, d'objets usuels, mais les livres, dont une Bible, étaient peu nombreux.

Sur la page de gauche: Un bijou, vu par Rembrandt (détail du portrait de Maria Trips).
Ci-contre: Le flûtiste, *de Brouwer (Musée Royal, Bruxelles) que posséda Rembrandt; une photo récente de la maison du peintre, Breetstraat. Son acquisition le ruina;* Noir avec arc et flèches *de Rembrandt (Londres, collection Wallace).*

Ci-dessus: un paysage de H. Seghers (Florence, Offices). Quelques oeuvres de ce peintre faisaient partie des collections de Rembrandt. Au cours d'une vente aux enchères, qui eut lieu à Amsterdam, Seghers assista à la vente du portrait de Baldassarre Castiglione, de Raphaël (ci-contre au centre) et il en fit une esquisse (à gauche). Le béret, élément caractéristique de ce portrait, lui plut beaucoup, tant et si bien qu'on le retrouve dans la gravure de droite, ainsi que dans plusieurs autres de ses oeuvres célèbres.

PRES DE LUI, IL N'Y A PLUS QUE HENDRICKJE

A l'époque, la maison de Rembrandt comportait un vestibule, donnant accès à une pièce latérale, qui s'ouvrait elle-même sur deux autres pièces en enfilade. Une antichambre précédait un cabinet de curiosités, puis il y avait un petit atelier, un grand atelier, une pièce où l'on rangeait le matériel du peintre, un petit bureau, une cuisine et un corridor qui servait de débarras. Tout fut saisi, même les tableaux en cours d'exécution. Nul n'aida l'artiste. Il fut même abandonné par Six, qui pourtant l'admirait et lui avait commandé le portrait de sa mère, puis son propre portrait, un chef-d'oeuvre. Rembrandt avait gravé un autre portrait de Six, lisant près de sa fenêtre, et un paysage où figurait sa maison de campagne, ainsi qu'une eau-forte: *Le petit pont de Six*. Ils étaient donc bons amis, mais Six céda sa créance sur les biens du peintre, pour plus de mille florins, et abandonna Rembrandt à son sort. La maison fut vendue 6713 florins, puis, il y eut deux ventes aux enchères, l'une, en septembre 1657, et l'autre, en décembre 1658. Tout fut dispersé pour la somme dérisoire de 4964 florins. L'hostilité intransigeante des pasteurs fit le vide autour du peintre. Ses amis en souffraient, mais sans réagir. Rembrandt dut vivre à l'auberge "Keyserskroon" à partir du 4 décembre 1657, bien qu'il n'ait abandonné définitivement sa maison que vers 1660. Seule, Hendrickje Stoffels restait à ses côtés. Et cette femme, simple, mais courageuse, sut faire face, avec énergie, à sa nouvelle situation. Elle s'installa avec Titus et la petite Cornélia, dans la demeure que Rembrandt occupait maintenant, Rozengracht, face au Nieuwe Doelhof (elle porte aujourd'hui le n. 184). Tout en s'occupant de la maison, elle fut une mère affectueuse, pour les deux enfants, et servit de modèle au peintre. Elle s'improvisa même le marchand de Rembrandt. En décembre 1660, elle constitua en effet, avec Titus, une société destinée à vendre les oeuvres du peintre. Celui-ci figure au contrat comme gérant, en échange, du gîte, du couvert et de ce qu'il lui fallait pour peindre. Titus et Hendrickje lui versèrent 9500 florins et 800 florins. Le but de cette opération était de soustraire Rembrandt, à de nouveaux ennuis financiers. Ses créanciers, en effet, n'avaient pas récupéré tout leur argent, si bien que, le 27 octobre 1662, le peintre dut même vendre son caveau de famille.

Ci-dessus: Hendrickje Stoffels *(Berlin, Gemaeldegalerie). Amoureux d'elle, le peintre fit maintes fois son portrait. Elle lui servit de modèle pour Bethsabée et pour Assenet, la femme de Putiphar. Elle pose ici, dans une attitude toute naturelle, très vivante, mais teintée d'une certaine mélancolie. Le rouge domine dans ce très beau portrait.*

A l'extrême droite: Flora *(1655, New-York, Metropolitan Museum). Rembrandt avait déjà traité ce thème plusieurs fois, en prenant Saskia, comme modèle. Il s'en inspira à nouveau, dans ce dernier tableau, mais cette fois, c'est Hendrickje Stoffels qui posa. Le choix des couleurs s'accorde avec la grâce naturelle du personnage, traité de profil.*

A gauche: Geertige Direx, de dos, avec le petit Titus, dont elle fut la gouvernante, d'après une rapide esquisse de Rembrandt. A côté, le peintre, dans un auto-portrait très rapidement brossé. La virtuosité de dessinateur de Rembrandt, lui permettait de saisir la chose vue, et de la fixer dans sa vérité la plus intime, en quelques traits nets et précis.

Ci-dessus, en haut: Moïse brise les tables de la Loi (Berlin, Gemaeldegalerie). A gauche: Titus lisant (1657 ou 1658, Vienne, Kunsthistorisches Museum). Des dix-huit portraits que Rembrandt fit de son fils, celui-ci est l'un des plus beaux. L'attitude recueillie du jeune homme, les tons chauds, vibrant de lumière, témoignent d'un talent en pleine maturité.

UN AQUAFORTISTE PRODIGIEUX

L'eau-forte ressortit à la technique de la gravure. On étend une mince couche de cire brune, sur une plaque de cuivre. Avec une pointe, on dessine sur cette couche de cire, mettant ainsi à nu le métal. On verse alors sur la plaque, un acide qui attaque le métal, partout où il est à découvert, y gravant les lignes burinées sur la cire. On nettoie enfin la plaque, on la recouvre d'encre, on la nettoie à nouveau et l'on met sous presse. L'encre qui a pénétré à l'intérieur des traits creux, imprime le dessin sur le papier. Rembrandt utilisa la technique de l'eau-forte et celle de la "pointe-sèche" (on entame directement la plaque avec un fin burin). A la fin de sa vie, sa préférence se porta surtout sur la seconde de ces méthodes grâce à laquelle, on obtient des lignes plus épaisses et plus fortes. Mais il n'abandonna pas l'eau-forte, qui lui permettait de dessiner aussi librement sur la plaque, que sur du papier, et qui, grâce à divers procédés techniques, donne une très grande variété d'effets. Rembrandt était un dessinateur exceptionnel. Sa maîtrise des techniques de gravure fit, de lui, l'un des meilleurs aquafortistes de tous les temps, avec Dürer et Hals. Curieusement, ce furent ses eaux-fortes, qui consacrèrent sa réputation de spécialiste de l'art sacré, et il obtint un véritable succès comme graveur de scènes bibliques ou évangéliques. Ses eaux-fortes et ses pointes sèches atteignirent des prix très élevés, comme cette extraordinaire gravure de *Jésus guérissant les malades*, qu'on appelle *L'estampe des cent florins*, parce qu'elle fut payée ce prix-là. On gravait certes, des eaux-fortes avant Rembrandt, et surtout en Italie. Mais c'est lui qui fit de ce procédé, un moyen d'expression artistique, complet et autonome. Au travers des gravures qu'il exécuta après 1640, naît une tradition, qui ira jusqu'à Goya. C'est d'ailleurs entre 1640 et 1650, que Rembrandt réalise les plus belles. Jusqu'en 1640, ses eaux-fortes ne sont guère que des reproductions de ses tableaux ou des interprétations de leurs thèmes. Après cette date, il grave des oeuvres aux thèmes originaux, qui tirent une force d'expression poétique extraordinaire, des oppositions de blancs et de noirs, des lumières et des ombres. En utilisant à la fois, l'eau-forte et la pointe sèche, il atteint même à un sommet, avec des oeuvres comme *Les Trois arbres* ou le *Faust*, pourtant si différentes l'une de l'autre.

A gauche: Portrait d'Ephraïm Bonus, *un médecin juif. Ce tableau porte une date et une signature à peine lisible:* "Rembrandt f. 1647". *Bonus était un ami de l'artiste. Son expression grave et pénétrante, son habillement sévère (celui des médecins de l'époque), sa façon de poser, avec la main appuyée au bas de la balustrade, confèrent un ton de grande dignité au portrait. Amsterdam possédait alors une communauté juive importante.*

Ci-dessus: cette eau-forte de Rembrandt lui fut achetée pour un prix particulièrement élevé. Elle s'intitule: Jésus, guérissant les malades; *mais on l'appelle aussi* "L'estampe aux cent florins". *Les malades que le peintre a représentés ici, avec réalisme, sont ceux qu'il étudia si souvent, sur le vif, dans le quartier juif, où vivaient des gens fortunés, aux vêtements somptueux, brodés selon des modes traditionnels, mais aussi des pauvres et des mendiants. Rembrandt se sentait attiré par ces déshérités, tant par son amour du pittoresque, que par le profond sentiment d'humanité qui l'animait. La composition à la fois·dense et animée, comporte deux plans: un plan d'ombre, un plan de lumière dans lequel s'inscrivent des silhouettes, dominées par celle de Jésus qui se détache avec netteté sur le font obscur du dessin.*

UN PAYSAGISTE
QUI NE VOYAGE JAMAIS

Le 9 juin 1652, l'Hôtel de Ville d'Amsterdam, fut la proie d'un violent incendie. Rembrandt, qui arrivait du lointain quartier juif où il habitait, s'assit sur un banc et se mit à dessiner, comme à chaque fois qu'un spectacle le frappait; qu'il s'agisse d'un mendiant en guenilles, d'un animal, d'un vieux juif, d'un rabbin, de Saskia, endormie, de Hendrickje, s'affairant dans la maison, de Titus en train de jouer... Son papier à dessin était, pour lui, un véritable confident. C'est probablement à ses dessins et à la faculté extraordinaire que Rembrandt possédait de rêver, à partir du réel, que nous devons ses paysages, exécutés entre 1638 et 1648: quatorze en tout, ce qui est fort peu; mais ils tiennent une place importante dans son oeuvre. Les paysagistes sont habituellement de grands voyageurs. Rembrandt, lui, ne parcourut jamais que les quarante kilomètres qui séparent Leyde, d'Amsterdam. Mais sur ces quelques lieues, il sut découvrir un tel répertoire de cailloux d'arbres, de petits ponts, de rivières, de maisons, que cette documentation lui suffit pour l'oeuvre de toute une vie. A cela, il faut ajouter l'extraordinaire spectacle que lui offrait

Amsterdam, et les paysages exécutés par d'autres, et qu'il possédait ou qu'il eut l'occasion d'étudier. Rembrandt était un sédentaire. Il devait travailler énormément pour exécuter ses nombreuses commandes. Faute de pouvoir voyager, son imagination lui suffisait. Ainsi que nous l'avons dit, on trouva dans l'inventaire de ses biens, des recueils de gravures, de monuments et de paysages de Rome, de Turquie, de Jérusalem. Il dut les feuilleter souvent et en nourrir son inspiration. Mais, il s'en servait pour se créer une réalité à lui. Il réalisa ainsi des ensembles poétiques où les personnages, lorsqu'ils sont présents, ne sont que des éléments secondaires. Aussi bien dans ses eaux-fortes, que dans ses tableaux religieux et profanes, Rembrandt accordait au paysage, une place qui, pour être réduite n'en était pas moins importante. Mais, alors que, dans toute la première partie de son oeuvre, le paysage ne constituait qu'un décor, Rembrandt, dans les dix dernières années de sa vie, en fit l'un des éléments essentiels de ses tableaux, et traita la nature pour elle-même, toujours avec cette vision très personnelle, qui est l'une des marques de son génie.

Page ci-contre, en haut: la
célèbre eau-forte intitulée: Les
trois arbres (1643). C'est, en
noir et blanc, un magnifique hymne
à la nature. Peu de peintres
eurent autant que Rembrandt, le
sens de l'espace, et surent comme
lui, l'exprimer avec des moyens
aussi simples. Au-dessous: Vallée
d'un fleuve avec des ruines, sur
la montagne, que l'on peut dater
entre 1643 et 1648 (Monaco). Dans
ce vaste paysage romantique, on
trouve l'un des rares échos du
monde classique, qui existe dans
l'oeuvre de Rembrandt. Le peintre
s'inspira probablement du livre
contenant des vues de Rome, qu'il
possédait, et qui est mentionné

dans l'inventaire de ses biens.
Ci-dessus: Paysage avec obélisque
(Stewart Gardner Museum, Boston).
La mode des paysages imaginaires,
commença avec Léonard de Vinci.
En Hollande, H. Seghers réalisa
nombre de paysages de ce genre et
Rembrandt en possédait quelques-uns.
Ici, il a sacrifié délibérément à
ce goût de l'imaginaire et s'est
laissé séduire par cette grande
fresque aisée, libre d'allure,
très proche de la peinture du
XIXeme siècle. L'élément principal
de la toile, est le grand
obélisque qui se dresse au fond
de ce paysage de convention.
A gauche: Un Arbre (1648, Turin),
au trait rapide et vigoureux.

Ci-dessous: Homère *(1663, Mauritshuis).* En bas, à gauche: Ecce Homo *(1663, Londres, National Gallery). Le Christ devant Pilate fut un thème que Rembrandt traita également dans ses eaux-fortes, mais il le fit généralement hors de la tradition des peintres de son époque, et en suivant sa propre imagination. A droite:* Homère *dictant ses vers (dessin au lavis).*

Sur la page ci-contre: Aristote contemplant le buste d'Homère *(1653, New-York, Metropolitain Museum). Le tableau fut acheté 500 florins par le prince Antonio Ruffo. Terminé, il fut expédié l'année suivante à Messine. C'est cette même toile, d'une rare richesse, qui fut vendue aux enchères, en 1961, aux Etats-Unis, pour 2.300.000 dollars.*

LES PENSEURS DE L'ANTIQUITE: DES PATRIARCHES BIBLIQUES

Avec ce goût inné pour le pittoresque, qu'alimentait en permanence le spectacle coloré de la vie quotidienne, dans le vieux quartier juif d'Amsterdam, Rembrandt assimilait curieusement les personnages de l'Antiquité, à ceux de la Bible. Soit qu'il les connût mal, soit que cela correspondît peu à son tempérament, il était très éloigné des conceptions du classicisme grec ou romain. Plus qu'aucun de ses contemporains, il fut véritablement un peintre de son temps. Lorsqu'il abordait des thèmes empruntés à l'Antiquité classique, il les interprétait d'une façon très personnelle. Ainsi, il traitait la beauté féminine avec la sensualité charnelle et réaliste des peintres flamands de son époque. C'est aussi avec une sorte de tendresse et de vénération, qu'il peignait la vieillesse, sujet pour lequel il éprouva toujours une réelle attraction. Il imaginait poètes et philosophes de l'Antiquité, à l'image des prophètes, des patriarches et des rois bibliques. Son extraordinaire dessin, rehaussé d'aquarelle, qui représente Homère aveugle, dictant ses vers, rappelle irrésistiblement le patriarche de l'eau-forte intitulée : *Abraham recevant la visite des anges.* Et son *Ponce Pilate* ressemble davantage à un satrape d'Orient qu'à un proconsul romain. Rebelle à toute interprétation conventionnelle, Rembrandt se fie à son imagination, et à son intuition artistique. Grâce au dessin d'Homère dont nous venons de parler, nous savons que le tableau que Rembrandt exécuta en 1663 n'est qu'un fragment. Mais, tel quel, ce tableau apparaît si achevé, il est si puissamment suggestif, tant sur le plan de la couleur que par le clair-obscur qui le baigne, ou l'acuité psychologique qu'il révèle, qu'il constitue une oeuvre parfaite. Bien qu'inspiré par le célèbre buste antique dont Rembrandt possédait une copie, ce tableau est le portrait d'un homme vivant et qui souffre, mais animé et transfiguré par le souffle poétique. Dans le magnifique portrait allégorique *Aristote contemplant la statue d'Homère,* ce même buste reflète un caractère profondément méditatif. Ce tableau fut commandé à Rembrandt par un amateur italien, le prince Ruffo di Messina, ce qui prouve, contrairement à ce que l'on a souvent avancé, que l'art de Rembrandt fut apprécié à l'étranger. En réunissant Homère et Aristote, Rembrandt présentait poésie et connaissance, comme les deux pôles de la dignité de l'homme.

Ci-dessus: La Conjuration de Claudius Civilis *(Stockholm, Nationalmuseum). Cette énorme toile, d'une surface initiale de vingt-six mètres carrés, baignée d'une lumière rutilante qui fait ressortir les visages et les armes fut terminée et livrée en août 1662. Rembrandt en avait soigneusement étudié la composition et la technique qui, très différente de celle de* La Ronde de nuit, *était adaptée aux dimensions exceptionnelles du tableau. Mais celui-ci ne plut pas. On lui reprocha d'être plus une esquisse qu'une oeuvre achevée, ce qui est vraisemblable. Les édiles d'Amsterdam voulaient un tableau d'un ton plus conventionnel. Le peintre modifia un peu sa toile mais, un an plus tard, et sans doute avant qu'il ait terminé, son tableau fut remplacé par un autre, représentant le même thème et peint par Ovens, un de ses élèves.*

Par la suite, Rembrandt a coupé sa toile, pour la réduire. En page de droite, en bas: deux esquisses de La Conjuration de Claudius Civilis. *Elles nous montrent que la partie de la toile qui subsiste et qui fut prélevée dans le grand tableau, se trouvait en bas, au centre. Tout le fond, avec ses voûtes, a disparu. En haut, à droite:* La Leçon d'anatomie du docteur Joan Deyman *(Rijksmuseum d'Amsterdam).*

DEUX GLORIEUX FRAGMENTS

Outre cet Homère qui se trouve à Stockholm, il existe d'autres tableaux de Rembrandt que nous ne connaissons que partiellement. Ces deux "glorieux fragments" appartiennent à deux oeuvres réalisées au cours de l'ultime période de la vie de l'artiste : il s'agit de *La Leçon d'anatomie du docteur Deyman*, datée de 1656, et de *La Conjuration de Claudius Civilis* ou *Conjuration des Bataves*, datée de 1662. Leurs dessins préparatoires permettent de les imaginer, dans leur ensemble, Il conçut la seconde pour le nouvel Hôtel de Ville d'Amsterdam. Ceci prouve que Rembrandt conservait encore grande réputation, et que, malgré la défaveur d'une certaine clientèle, on lui confiait encore des travaux de premier plan. Dans *La Leçon d'anatomie du docteur Deyman*, le cadavre est traité en un raccourci qui rappelle une *Déposition* de Borgianni, l'un des élèves du Caravage, ou encore *Le Christ mort* de Mantegna. Le tableau, ou du moins ce qui en reste, dégage une sévérité et une rigueur assez insolites, chez le Rembrandt de cette période. *La Conjuration de Claudius Civilis* retrace un épisode de la révolte des Bataves contre les Romains, peu après la conquête de César. Ce thème fut inspiré au peintre par le souvenir de la lutte que venait de mener la Hollande contre les Espagnols. Cette oeuvre n'est qu'une esquisse poussée, et non un travail achevé, Rembrandt y évoque le serment des conjurés, à leur chef, dont le geste détermine le mouvement de la composition. Les personnages sont ceux qu'il croisait tous les jours.

LA HOLLANDE PROSPERE ET EMBOURGEOISEE DE SON DERNIER CHEF D'OEUVRE

Rembrandt reçut trois commandes importantes, durant les dernières années de sa vie. En 1661, le prince Ruffo, qui était en Sicile, lui commanda un *Alexandre-le-Grand* et un *Homère*, en 1662 (peut-être celui qui se trouve à Stockholm). Il achètera également en 1669, une série complète d'eaux-fortes. Mais le dernier chef-d'oeuvre de l'artiste date de 1662. *La Conjuration de Claudius Civilis*, terminée la même année, avait été mal accueillie. Les syndics de la Corporation des Drapiers commandèrent à Rembrandt leur portrait collectif, pour le siège de leur association. Egalement intitulé *Les Essayeurs*, ce tableau, comme *La Fiancée Juive*, réalisé six ans auparavant, reflète un génie pictural exceptionnel. Déjà dans *La Ronde de Nuit*, Rembrandt s'était délibérément affranchi des règles rigides et stéréotypées du "portrait de groupe" que respectaient scrupuleusement ses prédécesseurs. Il nous laissait ainsi un témoignage saisissant sur la vie de la Hollande de son temps : l'image de ces associations militaires et corporatives où les bons bourgeois, cossus et trop bien nourris, se transformaient en guerriers martiaux, fiers de leurs beaux uniformes. Avec *Les Essayeurs*, Rembrandt nous fait découvrir un autre visage de la Hollande pacifique, réfléchie et laborieuse. Les cinq syndics et leur serviteur semblent écouter un interlocuteur placé en face d'eux. Très simplement composée, la scène palpite de vie. L'ensemble possède une parfaite unité, mais chaque personnage garde toute son importance. La couleur, avec la chaude note rouge du tapis, la lumière dorée, qui donne un ton paisible à la scène, les visages sérieux mais bienveillants de ces hommes graves, vêtus d'habit noir, tout cela contribue à l'unité de l'ensemble. L'œil est savamment guidé par la structure du tableau et par le rythme de la composition, vers le président, qui est le personnage central et que font ressortir le syndic, debout à ses côtés, et le serviteur placé en retrait, à droite. Ici la maîtrise de Rembrandt est stupéfiante : il semble qu'aucun problème ne l'ait arrêté, qu'il a conçu et mené son tableau jusqu'au bout, comme en se jouant. Et effectivement, Rembrandt ne travaillait pas longuement à la conception de ses grandes toiles, au contraire de Vinci ou Michel-Ange. Son expérience et une intuition très sûre, lui fournissaient, d'emblée, les traits majeurs de sa composition.

A gauche: Les Bourgmestres d'Amsterdam, réunis pour l'arrivée de Marie de Médicis, *d'après un tableau de Thomas de Keyser (Mauritshuis).* A droite: Les Maîtres du Corps de métiers de San Luca, à Haarlem *(Amsterdam, Rijksmuseum). La comparaison entre ces groupes et celui des Syndics des Drapiers fait éclater tout le talent de Rembrandt.*

Ci-dessus: Radiographie du troisième personnage de gauche du Syndics des Drapiers *(tête du président). Les examens radiographiques de cette oeuvre et ceux de la* Ronde de Nuit, *nous permettent de comprendre au prix de quel travail, de quelles réflexions. Rembrandt conquit la qualité de son expression. Le naturel de ses compositions vient de l'harmonisation des attitudes de chacun des personnages groupés, qui semble être le résultat du hasard. En fait, ce résultat est le fruit d'un travail patient, d'essais successifs, de retouches incessantes, faites sur la toile elle-même. Le peintre n'hésite pas à effacer ou à remettre une nouvelle couche de peinture. Et certains effets sont précisément dûs à ces superpositions de matière. Sous la couleur, qui apparaît en surface, se superposent d'autres couches de peinture non visibles mais qui donnent une consistance réelle, un volume étonnant à certains des éléments du tableau, notamment aux visages. Ceux-ci en tirent un relief souvent saisissant.*

67

Ci-dessous: L'homme au béret rouge *exécuté probablement vers 1655 (Pinacothèque de Berlin). Au-dessous, de l'atelier de Rembrandt, un détail du* Portrait d'homme en cuirasse. *A droite:* Boeuf dépecé *(1655, Paris, Louvre). Cette toile a inspiré de nombreux peintres modernes: entre autres le célèbre* Boeuf écorché *de Soutine (musée de Grenoble).*

En page de droite: Femme au bain. *Ce petit tableau rappelle la* Bethsabée. *Son modèle est Hendrickje qui entre dans l'eau avec précaution, en relevant sa chemise pour ne pas la mouiller. La toile exprime avec beaucoup de charme, l'attitude intime et libre de quelqu'un qui ne se sent pas observé (1654, Londres, National Gallery).*

IL FAIT, DE SON ATELIER, UNE FORTERESSE CONTRE L'ADVERSITE

A mesure que s'accusait la catastrophe financière où il sombrait, Rembrandt s'isola et s'enferma davantage dans son travail. Son biographe, Houbraken, est sûrement dans le vrai, quand il affirme que Rembrandt était un homme naturellement sombre et casanier, capable de se contenter de peu. Cependant, les soucis financiers, toujours croissants, le préoccupèrent: il craignait qu'on lui enlevât – comme cela se produisit, d'ailleurs – tous les objets rares et précieux dont il s'était entouré et qu'il aimait profondément. Il redoutait aussi de voir ceux qui lui étaient chers, réduits à une condition précaire. Mais il se faisait peu de souci pour lui-même. C'est pourquoi il s'enferma dans son atelier, au cours de cette période orageuse, où il se vit harcelé par ses créanciers et abandonné par ses amis. Son atelier était la forteresse, où il se sentait à l'abri de toute adversité. Il poursuivait passionnément sa quête d'une perfection de la forme et de la couleur, et créa des oeuvres de très grande valeur, comme cette Bethsabée que lui inspira la jeune Hendrickje. Celle-ci continuait à l'entourer de sa tendresse fidèle et dévouée. En s'isolant, Rembrandt semble avoir voulu concentrer toutes ses forces, sans en rien distraire, pour réaliser des expériences picturales dont il ressentait profondément la nécessité, même s'il risquait ainsi de déplaire à ses acheteurs. D'après Houbraken, l'empâtement de la couleur atteignait une telle épaisseur sur certains tableaux, que si on les posait, côté peint contre le sol, la toile se soulevait à l'endroit du nez modelé en pleine "pâte", presque comme celui d'un bas-relief. Il n'est donc pas surprenant qu'aux alentours de 1655, Rembrandt ait choisi comme sujet, un boeuf dépecé, ce fameux boeuf dépecé qui, deux siècles et demi plus tard, intéressera si passionnément les modernes. Un autre peintre hollandais eût campé le sujet, comme une habituelle nature morte, une "vanitas" comme on disait alors. Rembrandt, lui, y vit essentiellement prétexte à traiter une forme monumentale, avec un réalisme puissant. Cette toile est travaillée avec une épaisseur de pâte inusitée. Le peintre transfigure littéralement son sujet, par le jeu particulièrement heureux de la couleur et du clair-obscur. Ce thème insolite démontre combien la couleur et la forme primaient chez lui, sur toute préoccupation littéraire ou philosophique.

SES ELEVES FURENT DES PEINTRES REMARQUABLES

Sur la page de gauche; la très remarquable Ecole du Soir de Gerrit Dou, qui fut l'élève de Rembrandt, alors que celui-ci était encore à Leyde. Rembrandt transmit à son tour, à Gerrit Dou, les enseignements qu'il avait lui-même retiré de l'étude du style du Caravage et de son école. Cette influence italienne est ici évidente (Rijksmuseum).

Ci-dessous, à gauche: détail de La vieille Femme en prière, de Nicolas Maes. A droite: Auto-portrait avec un béret par Karel Fabritius (ces deux tableaux se trouvent à la Pinacothèque de Monaco). En dessous: un portrait d'enfant, exécuté par Govert Flinck. Le peintre utilise ici l'éclairage de côté, si caractéristique, des portraits de Rembrandt.

C'est Jurriaen Ovens qui exécuta pour l'Hôtel de Ville d'Amsterdam le tableau qui remplaça la *Conjuration de Claudius Civilis*, restée inachevée. Il avait été l'élève de Rembrandt, vingt ans auparavant; et d'autres disciples du maître furent également chargés d'exécuter des tableaux pour le nouvel Hôtel de Ville. Avant que Rembrandt, lui-même, ait reçu commande de la *Conjuration*, Flink, un autre de ses anciens élèves, avait travaillé pour l'édifice alors à peine terminé. Tout au long de sa vie, Rembrandt forma environ quarante peintres, à commencer par Gerrit Dou, qui avait quinze ans, quand il suivit, à Leyde, les leçons d'un maître à peine âgé de cinq ans de plus que lui. La plupart acquirent une flatteuse réputation; plusieurs furent des maîtres. Outre Gerrit Dou, il faut citer: Ovens et Flinck, Jacob Adriaensz Backer (1608-1651), Ferdinand Bol (1616-1680), Gerbrand van den Eeckhout (1621-1674), Karel Fabritius (1622-1654), Samuel van Hoogstraten (1627-1678), Barend Fabritius (1624-1673), Nicolas Maes (1634-1693), Aert de Gelder (1645-1727). Au début – c'est normal – tous furent influencés par leur maître. Mais la plupart réussirent à trouver leur style propre, très différent du sien, surtout lorsque Rembrandt commença à s'écarter, de plus en plus, du goût de son époque, pour suivre sa seule inspiration. Lievens – qui fut davantage un ami de jeunesse qu'un élève et qui professait les mêmes goûts que lui – Dou, Bol, Karel Fabritius, Maes transmirent cependant à leurs propres élèves une partie de la leçon, reçue directement de Rembrandt, et notamment à Frans van Mieris, Gabriel Metsu, Pieter de Hoock, et surtout à l'admirable Jan Vermeer. Nous ne savons rien de la méthode d'enseignement de Rembrandt. Il donnait ses leçons dans un entrepôt, ou dans un magasin, situé sur la Bloemgracht, et c'est surtout durant la partie la plus heureuse de sa vie, qu'il enseigna. Plus tard, malgré sa vieillesse et son isolement, il conserva quelques élèves qui débutaient dans la peinture, et qui s'adressèrent à lui pour se former. Ce fut le cas d'Aert de Gelder, né en 1645. Très peu de ses disciples, virent le maître, en train de peindre. Rembrandt s'isolait pour travailler. A Leyde, le jeune Gerrit Dou, dut toutefois assister à son travail, puisqu'il posa, pour *L'Artiste dans son atelier* (musée de Boston).

SON CHAGRIN INSPIRE SES GRANDES OEUVRES

Rembrandt peignit *Les Syndics des drapiers*, en 1662, l'année où mourut Heindrickje Stoffels. Coïncidence curieuse, l'année 1642, celle de l'autre chef-d'oeuvre de Rembrandt *La Ronde de nuit*, avait été celle de la mort de Saskia. On ne peut s'empêcher de penser que ces authentiques sommets de l'art eurent pour prix, ces grands chagrins du maître. Fille d'un soldat, Hendrickje était une femme du peuple, douce et courageuse, qui vécut avec amour et dévouement, à l'ombre du peintre dont elle sut comprendre instinctivement la grandeur. Elle s'éteignit dans la modeste maison où plus tard, devait mourir Rembrandt lui-même. Celui-ci resta seul avec son fils Titus, alors âgé de dix-neuf ans, et avec Cornélia, la fille qu'il avait eue d'Hendrickje, et qui avait huit ans. Plus encore que par le passé, l'artiste se renferma sur lui-même, cherchant, dans sa peinture, l'oubli de ses peines. Il existe environ soixante-dix auto-portraits de Rembrandt, mais les derniers sont parmi les

plus vigoureux, les plus pénétrants et les plus significatifs. Ils nous montrent le visage buriné, fatigué d'un homme qui semble regarder en lui-même, avec une pointe de mélancolie, mais aussi avec la sagesse de celui qui a appris à tout surmonter. Durant cette période, la peinture de Rembrandt est large, épaisse, d'une pâte riche et chaude, d'une facture résolument plastique. Il y a, à la fois, dans ses tableaux, une extrême liberté et beaucoup de soin. Malgré la variété de leurs thèmes, toutes les toiles de la dernière époque de sa vie offrent ces mêmes caractéristiques, en particulier *La Fiancée juive* et *Le Portrait de famille* qui sont parmi les plus belles qu'il ait peintes. *La Fiancée juive*, dont le fond est inachevé, est l'image la plus émouvante de l'amour conjugal. Les notes puissantes des rouges et des jaunes, couleurs de la vie, de la passion, de l'optimisme, y prennent une valeur symbolique. On n'a pas pu identifier les personnages qui ont posé. Mais par sa force expressive et sa couleur, cette toile est un chef-d'oeuvre. De même *Le Portrait de famille*, exprime une intimité émouvante. Une palette extraordinairement riche, une composition où s'unissent mouvement et équilibre, évoquent l'amour familial, avec une sensibilité où se devine la secrète nostalgie du peintre.

Sur la page de gauche: La fiancée juive, *appelée également* Couple d'époux *ou* Les époux *(vers 1668, Amsterdam, Rijksmuseum), une des toiles majeures du maître. On a voulu voir dans ce tableau le poète juif, Don Miguel de Barrios et sa femme Abigaël de Pina. D'autres veulent y voir Titus et sa femme. Il s'agit peut-être et plus simplement de personnages bibliques: Booz et Ruth. En haut:* Portrait de famille *(1668 ou 1669, Brunswick). En bas, à gauche:* Vénus et Amour *(1657 ou 1658). Ce sujet classique servit de prétexte à Rembrandt, pour faire le portrait d'Hendrickje et de la petite Cornélia. Plus à droite: le dernier auto-portrait de Rembrandt (1668, Cologne, Nationalmuseum).*

UNE FIN SOLITAIRE DANS UNE MISERE DIGNE

Ci-dessous: Le retour du fils prodigue *(1668, Musée de l'Ermitage à Léningrad). Ce thème qu'il avait plusieurs fois traité déjà, attira Rembrandt dans les derniers temps de sa vie et le fait est significatif. Ce tableau ne porte aucune marque de lassitude; il est même parmi les meilleurs de Rembrandt. A droite: l'auto-portrait célèbre du Mauritshuis.*

En 1668, Titus épouse Magdalena van Loo, et quitte la maison paternelle; mais il meurt un mois après son mariage. C'est un nouveau deuil particulièrement douloureux pour l'artiste, qui chérissait tendrement ce fils, le seul des enfants de Saskia, qui ait survécu jusque là. On a dit que la mauvaise santé de Saskia et de Titus avait pour origine la syphilis, si répandue et si mal soignée à l'époque, et dont il semble que Rembrandt était atteint, mais ce n'est pas prouvé. Après la mort de Titus, Magdalena aura une fille, née en 1669, qu'elle appellera Titia, en souvenir du disparu; mais Magdalena mourra, elle-même, le 21 octobre. Le 30 mai 1670, Cornélia van Rijn, la fille d'Hendrickje, se mariera à son tour avec le peintre Cornélius Suythof et, en 1673, à Batavia, dans les lointaines Indes Hollandaises, elle mettra au monde un fils, à qui elle donnera le glorieux prénom de son grand-père: Rembrandt. C'est près de Cornélia, que celui-ci passera les derniers jours de sa vie, dans la maison du Rozengracht, face au Nieuwe Doelhof. Il meurt le 4 octobre 1669, et sa dépouille mortelle sera ensevelie, le 8 octobre, dans la Westerkerk. Un inventaire, dressé après sa mort, trahit l'indigence dans laquelle il vivait, presque totalement oublié. Ses biens se réduisaient à dix-neuf tableaux, dont certains inachevés, un peu de meubles et de linge. Dans la "meilleure chambre", un lit, avec une paillasse, cinq coussins, deux traversins, six courtines et une couverture de soie, quatre rideaux verts, un guéridon de chêne, recouvert d'un tapis, un miroir, une chaise, une plaque de cheminée en fer. C'est le cadre d'une misère qui, par dignité, refuse de s'avouer. Ainsi s'acheva la vie d'un homme de génie, coupable, certes, de bien des erreurs, mais envers qui on en avait commis bien davantage. "On", c'est-à-dire tous ceux qui, après l'avoir porté aux nues, s'effrayèrent, quand ils le virent en butte aux créanciers, et surtout aux censeurs, et qui l'abandonnèrent lâchement. Mais Rembrandt, si seul et si constamment frappé dans ses affections, sut trouver, dans le chagrin et la solitude, la force et la volonté d'atteindre les sommets de son génie. Il sut s'analyser lui-même. A sa mort, il laissait l'immortel et immense héritage constitué par six cent cinquante tableaux, trois cents eaux-fortes et deux mille dessins.

Rembrandt fut un portraitiste. Sa production compte 415 portraits, parmi lesquels des dizaines d'auto-portraits, contre 142 tableaux, inspirés par l'Ancien ou le Nouveau Testament, 25, par des sujets mythologiques ou historiques, et 29 toiles de genre. Esprit anticlassique, profondément réaliste et imaginatif à la fois, il fut un innovateur exceptionnel sur le plan de la couleur et de la composition. Parti du clair-obscur, hérité du Caravage, il créa, peu à peu, sa propre technique de l'éclairement et du contraste. Il sut exprimer ses émotions, avec une variété et une intensité de sentiments incomparables, grâce à un langage qu'il dominait, et qui s'avère sans cesse plus original, plus puissant, plus spirituel. Dessinateur rapide et vigoureux, graveur d'une habileté prodigieuse, il obtint des effets surprenants, dans ses eaux-fortes, en jouant simplement du blanc et du noir La société hollandaise du temps, à la fois riche et austère, portée vers le luxe domestique, contrainte par une foi exigeante et sévère, ne sut pas totalement saisir l'art si riche de sève et si frémissant de poésie du maître. L'écart se creusa entre lui et ses contemporains, incapables d'admettre qu'un artiste pût vivre sa vie avec cette liberté qui est le privilège du talent.

1606 - Rembrandt Harmeszoon van Rijn, né à Leyde le 15 juin, est le cinquième des sept enfants d'un meunier aisé.
1609 - Fondation de la Banque d'Amsterdam.
1610 - Mort du Caravage.
1620 - Le jeune Rembrandt abandonne ses études à peine commencées pour se consacrer à la peinture. Après trois ans d'apprentissage, il quitte Leyde, se rend à Amsterdam où il devient l'élève de Pieter Lastman.
1621 - Fondation de la Compagnie des Indes hollandaises occidentales.
1625 - Revenu dans sa ville natale, Rembrandt y ouvre un atelier. C'est la période dite de "Leyde" qui dure jusqu'en 1630.
1626 - Rembrandt peint *Tobie et Anne avec la Chevrette* et *l'Ane de Balaam*. Fondation de la Nouvelle Amsterdam (plus tard New-York) qui devient le centre des possessions hollandaises en Amérique du Nord.
1627 - Rembrandt peint *Saint Paul en prison*.
1631 - Rembrandt s'établit à Amsterdam, qu'il ne quittera plus. Il exécute le *Portrait de Nicolas Ruts* et *La Sainte Famille*.
1632 - Il exécute *La leçon d'anatomie* une de ses oeuvres majeures.
1634 - Il épouse Saskia van Uylenburch, dont il reproduit les traits dans le *Portrait de Saskia* (Dresde); il la peint à nouveau avec lui dans son *auto-portrait avec Saskia*. Par la suite sa femme lui servira de modèle pour quantité de toiles.
1636 - Fondation de l'Université d'Utrecht. C'est de cette année que datent deux tableaux de Rembrandt assez différents l'un de l'autre: *l'Aveuglement de Samson* et *Danae*. La "première période d'Amsterdam est maintenant terminée, la "seconde" commence, qui se prolongera jusqu'en 1642, date de la mort de sa femme. Durant cette période, il réalise une série de tableaux, représentant des scènes de la Passion (Crucifixion, Déposition), qui lui avaient été commandés par le Stathouder, Frédéric-Henri d'Orange.
1640 - Les Hollandais obtiennent le monopole du commerce européen, avec le Japon. Mort de la mère de Rembrandt.
1640-50 - Ses meilleures eaux-fortes de ces années. Dont *Les trois arbres* et *Le Christ guérissant les malades*, appelé également "L'estampe aux cent florins" car les copies de cette estampe avaient été vendues, pour cette somme assez élevée.
1641 - Naissance de Titus, le seul des quatre enfants de Rembrandt et de Saskia qui ne mourut pas en bas-âge.
1642 - Il peint *la Ronde de Nuit* (ou sortie d'une compagnie de gardes civiques). Le 14 juin, mort de sa femme. De cette année à 1656: "troisième période d'Amsterdam": le peintre est hanté désormais par un souci de concentration et d'équilibre.
1646 - Rembrandt peint *l'Adoration des bergers*. Ce tableau ouvre la série des scènes de la Passion de Jésus, commencée en 1636 avec *la Crucifixion*.
1647 - *Suzanne et les vieillards*.
1648 - *Le Christ à Emmaüs*. Le traité de Westphalie établit l'indépendance des Pays-Bas.
1649 - Geertige Direx, qui vivait chez Rembrandt, depuis la mort de sa femme, attaque le peintre en justice pour non-accomplissement d'une promesse de mariage. Une jeune fille, Hendrickje Stoffels, vivait déjà à cette époque dans la maison de Rembrandt; elle restera, jusqu'à sa mort, la fidèle compagne et le modèle du peintre.
1651 - *Jeune fille à la fenêtre*, c'est peut-être un portrait d'Hendrickje, jeune.
1654 - Il exécute *Bethsabée*: Hendrickje lui sert de modèle.
1656 - Naissance de Cornélia, fille du peintre et d'Hendrickje Stoffels. Celle-ci ne deviendra jamais l'épouse légitime de Rembrandt.
1657 - La maison est vendue et la riche collection d'objets d'art et de curiosités, que Rembrandt avait réunie et qui fut probablement la cause de sa ruine, est mise aux enchères. Début de la "quatrième période d'Amsterdam" qui durera jusqu'à la mort du peintre et pendant laquelle il créera des chefs-d'oeuvre comme *La Fiancée juive* et le *Portrait de famille*.
1661 - Il est chargé de décorer une lunette de la galerie du nouvel Hôtel de Ville d'Amsterdam et il commence la *Conjuration de Claudius Civilis* ou *des Bataves* qu'il terminera deux ans plus tard. Mais la toile n'est pas acceptée.
1662 - Il exécute les *Syndics des Drapiers* ou *Les Essayeurs*. Mort d'Hendrickje.
1668 - Titus, le fils du peintre, meurt peu après son mariage.
1669 - Dernier auto-portrait. Le 4 octobre, mort de Rembrandt.